Chère lectrice,

Comédie, émotion et _ toujours _ romantisme passionné sont au rendez-vous de votre collection rouge, rouge, rouge, ce mois-ci.

Séquence comédie...

Moderne, dynamique... mais fauchée et en quête d'un job, Amy ne connaît qu'un moyen de faire vivre son grand-père : tricher au billard. Alors, ce soir, elle cherche *Un candidat idéal* qu'elle pourra gentiment _ pour la bonne cause _ dél[illegible] quelques dollars (1165). Attention aux conséqu[illegible]

Peut-on classer une ancienn[illegible] curiosité historique » ? No[illegible]irie de sa petite ville natale [illegible]ais si, au contraire ! rétorqu[illegible]. Un héritier exaspérant pou[illegible]pérant mais... si séduisant, e[illegible]

Séquence émotion.[illegible]

C'est *Une troublant*[illegible]*tion*(1167) que fait Ryan à sa meilleure amie Jessie. Pourquoi ? Parce qu'elle a très envie d'avoir un bébé mais songe à faire appel à un donneur faute de trouver l'homme de sa vie. Ryan suggère une solution beaucoup plus généreuse... mais bouleversante.

*La tendresse cachée d'un séducteur (*1168)... Voilà ce que va découvrir le séducteur en question à l'occasion de quelques jours passés en compagnie d'un tout petit bout de chou. Il se pourrait bien qu'il découvre aussi l'amour, en la personne d'une certaine Gwen. Naturellement, tout cela se passe dans un roman signé « Un bébé sur les bras ».

Séquence passion, pour finir (ou commencer, c'est selon)...

Il y a *Un bonheur à saisir* pour ceux qui se croient désenchantés (1169), et pour atteindre ce bonheur, il n'y a, parfois, qu'*Un seul pas à franchir(*1170) quand on s'est séparés et que la blessure ne guérit pas. Alors, n'est-ce pas une bonne nouvelle, optimiste, et tout et tout ?

Bonne lecture,

La responsable de collection

La tendresse cachée d'un séducteur

VICKI LEWIS THOMPSON

La tendresse cachée d'un séducteur

COLLECTION ROUGE PASSION

Cet ouvrage a été publié en langue anglaise
sous le titre :
TWO IN THE SADDLE

Traduction française de
HERVÉ MALRIEU

HARLEQUIN®

est une marque déposée du Groupe Harlequin
et Rouge Passion® est une marque déposée d'Harlequin S.A.

83-85, boulevard Vincent-Auriol, 75013 PARIS — Tél. : 01 42 16 63 63
Service Lectrices — Tél.: 01 45 82 47 47
ISBN 2-280-11934-X — ISSN 0993-443X

1.

Les mariages rendaient Travis Evans nerveux.

Pour lui, se tenir près de l'autel de l'église de Huerfano en compagnie de son bon copain Sebastian Daniels, c'était un peu partager l'appartement d'une personne atteinte de varicelle. Une seconde d'inattention, et Sebastian lui passerait le virus. Et si Travis Evans attrapait le virus du mariage, il ne lui resterait plus qu'à dire adieu à sa vie de garçon, qu'il aimait tant.

Mais il avait bien été obligé de faire une concession pour Sebastian. En temps ordinaire, ce dernier aurait pu compter sur le soutien moral d'au moins trois autres types que Travis, mais ni Sebastian, ni Matty, sa future femme, n'avaient eu la patience d'attendre que tous ces gens veuillent bien se libérer.

Ed, le frère de Sebastian, se trouvait coincé en Alaska. Et des trois cow-boys qui formaient le cercle de ses amis les plus intimes, seul Travis était disponible. Nat Grady ne pouvait quitter un pays d'outre-mer déchiré par la guerre, et au nom imprononçable par-dessus le marché. Boone Conner sillonnait les routes du Mexique avec son entreprise itinérante de ferrage de chevaux, et il avait été impossible de le retrouver. Aussi Travis avait-il accepté d'être le garçon d'honneur de Sebastian.

Matty, de son côté, n'était guère mieux lotie : sa famille ne s'était pas davantage accommodée de délais aussi courts. Seule Gwen Hawthorne avait pu se libérer pour la noce, en qualité de demoiselle d'honneur. Ou sa dame d'honneur, pensa Travis, qui ne savait pas très bien comment il fallait appeler les femmes divorcées qui tenaient ce rôle. Depuis son divorce, Gwen Hawthorne haïssait l'idée même de mariage, et, selon Travis, c'était là une disposition d'esprit idéale. L'ennui, songea-t-il, c'était que Gwen le détestait cordialement.

Heureusement, si les amis et familles respectives de Sebastian et de Matty brillaient surtout par leur absence, les autres invités avaient presque tous répondu à leur appel, et la petite église de bois était pleine à craquer. Les hommes avaient ressorti leur costume des grandes occasions, dans le plus pur style de l'Ouest. Quant aux femmes... Travis eut un soupir plein de nostalgie. Dans leurs robes et parures aux couleurs pastel, elles ressemblaient à des bouquets de fleurs sauvages du Colorado. Malgré la fraîcheur de ce bel après-midi de mai, elles avaient ainsi tenu à saluer le printemps...

Travis aimait cette saison qui incitait les dames à dénuder leurs bras, et, en temps normal, il se serait réjoui d'avoir ainsi à portée de sourire un si grand nombre de femmes non mariées. Mais, selon lui, les mariages n'étaient pas propices aux flirts. Ils donnaient des *idées* aux femmes célibataires, pensait-il.

Le pasteur, Pete McDowell, avait passé sa jeunesse à faire la fête, s'il fallait en croire la rumeur. Mais il s'était amendé en entrant au service du Seigneur, et, avec sa barbe grise bien entretenue et sa longue robe, il semblait tout à fait prêt, lui aussi, à accueillir l'épouse que le Seigneur lui destinerait. En outre, tout le monde s'accordait à penser que sa voix exceptionnelle le destinait, soit à la chaire, soit à la radio.

Le pasteur fit un signe à Sarah Jane Ashfelder, l'organiste, qui se mit à jouer. Par habitude, Travis se tourna vers elle et lui adressa un clin d'œil. Sarah Jane rougit et manqua un accord. Aussitôt, Travis regretta de l'avoir troublée, se souvenant que tous les habitants de la vallée la savaient désespérément en quête d'un mari. Un clin d'œil à l'organiste lors d'un mariage ne pouvait donc manquer de susciter des malentendus.

— Tu as l'anneau ? chuchota Sebastian.

Depuis le début de la matinée, c'était peut-être la centième fois que son ami lui posait la même question. Mais Travis ne lui en tint pas rigueur. Tout le monde avait bien le droit de perdre les pédales le jour de son mariage, se dit-il.

— Ouais, je l'ai, murmura-t-il. Tu tiens le coup ?

— Je tremble comme un veau nouveau-né !

— Tu fais un très beau mariage, Sebastian.

Travis était totalement sincère. Même si lui-même ne se sentait nullement attiré par l'état matrimonial, il admettait que cela convenait parfaitement à certains. Et Sebastian était de ceux-là. Quant à Matty Lang, elle semblait faite pour Sebastian...

— Je sais bien que je ne fais pas une bêtise, répliqua doucement le futur époux. Mais je ne suis jamais à l'aise dans les cérémonies de ce genre. Mon col me démange, mon manteau me serre trop aux épaules. Je...

A cet instant, les hurlements d'un bébé couvrirent presque le timbre puissant de l'orgue. L'assemblée tout entière se retourna, chacun s'efforçant de voir d'où venaient ces vagissements. Les murmures de curiosité s'amplifièrent.

— C'est sûrement Lizzie qui fait des siennes dans l'entrée, dit Travis. Je savais bien qu'elle n'avait pas sa place dans cette fête.

— Je pense exactement le contraire, répliqua Sebastian.

Il s'était exprimé à voix basse. Pourtant, il aurait pu parler normalement sans être entendu, avec les accents tonitruants de la musique, les cris du bébé et le bavardage excité des invités. Cet enfant avait été l'objet de bien des spéculations dans la petite communauté, et tout le monde mourait d'envie de le voir.

— Elle n'a pas encore quatre mois, fit remarquer Travis. C'est trop jeune pour assister à un mariage.

— Pas du tout ! riposta Sebastian. Elisabeth est en avance pour son âge. Nous avons oublié sa tétine, voilà tout. Par ailleurs, c'est elle qui nous a rapprochés, Matty et moi. Je veux que ma fille assiste à notre mariage.

Travis eut envie d'étrangler Sebastian avec sa cravate. Ce type s'obstinait à se croire le père de Lizzie.

— Ce n'est pas ta fille ! s'exclama-t-il. C'est la mienne, tu le sais bien !

Travis n'avait pas le moindre doute au sujet de sa paternité. Pour preuve, le petit billet qu'il avait reçu trois semaines plus tôt, et qu'il savait par cœur, mot pour mot :

Cher Travis,

Je compte sur toi pour être le parrain de ma fille Elisabeth, jusqu'à ce que je puisse revenir m'occuper d'elle. Ta façon insouciante de voir la vie est exactement ce dont elle a besoin pour l'instant. Je l'ai confiée à Sebastian au Rocking D. Crois-moi, je n'agirais pas ainsi si ma situation ne l'exigeait pas.

Avec ma plus profonde gratitude,

Jessica

Lizzie était sa fille, cela ne faisait aucun doute, se répéta Travis. Certes, il ne se souvenait pas de tous les détails de cette nuit où Jessica, Sebastian, Boone et lui-même avaient fêté l'anniversaire du jour où ils avaient échappé à une avalanche. Mais c'était lui le père le plus vraisemblable.

Il se rappelait que tous les gars étaient soûls au point de faire des propositions à Jessica, qui n'était pourtant qu'une amie. Et, en bonne amie qu'elle était, elle les avait reconduits dans leur cabane et les avait mis au lit, l'un après l'autre. En le bordant, elle s'était penchée sur lui, Travis, et lui avait souri. Il avait dû la cajoler, et elle s'était retrouvée dans son lit. C'était là que Lizzie avait été conçue.

Evidemment, se dit Travis, le jour où Jessica avait laissé le bébé à Sebastian, ce dernier aussi avait reçu un billet lui demandant d'assumer le rôle de parrain. Mais Sebastian n'était pas du genre à coucher à droite et à gauche, surtout sans protection. Auparavant, Travis ne l'avait jamais fait non plus, mais il s'en savait capable. Bien plus que Sebastian, en tout cas.

Pourtant, Sebastian s'était attribué la paternité de cet enfant et ne voulait pas en démordre. Il lança un regard furibond à Travis.

— Ce bébé est à moi ! dit-il en desserrant à peine les mâchoires. Elle a le nez des Daniels !

— Tu prends tes désirs pour des réalités ! répliqua Travis. Elle ressemble exactement à une photo de ma mère quand elle avait son âge !

A cet instant, Sarah Jane commença à jouer la marche nuptiale, en supprimant toutes les pauses pour tenter de couvrir les cris du bébé.

— Vraiment ? grinça Sebastian. Je vois que je ne t'ai jamais montré les photos de *ma* mère à cet âge. Elle…

— Messieurs ! interrompit Pete McDowell d'un ton sévère, je crois que ce n'est ni le moment, ni le lieu, de débattre vos questions de paternité. L'hymne vient de commencer.

Sebastian avala sa salive et se retourna, aussitôt imité par Travis. Gwen poussait dans l'allée centrale l'antique landau qu'elle avait déniché dans le grenier de sa maison victorienne. De chaque côté, les gens tendaient le cou dans l'espoir d'apercevoir ce fameux bébé dont deux hommes revendiquaient la paternité.

Lors de la répétition, Lizzie avait, semblait-il, adoré parader le long de l'allée centrale. Mais ce jour-là, rien dans cette promenade ne trouvait grâce à ses yeux. Pourtant, Gwen avait fait de son landau une œuvre d'art en le décorant de fleurs et de rubans ; elle avait même réussi à y ajouter le bouquet de fleurs qu'elle offrait à la jeune mariée. Mais cela n'impressionnait guère Lizzie.

La décoration du landau n'attirait pas davantage l'attention de Travis. Par contre, dès que ce dernier avait aperçu Gwen, ses hormones s'étaient mises en ébullition. Le vert tendre de sa robe évoquait les jeunes feuilles des trembles, et se mariait admirablement avec sa peau dorée. Travis avait entendu dire qu'elle avait des ancêtres Cheyenne, ce qui expliquait peut-être ses cheveux de jais, coiffés ce jour-là avec un art qui sidérait Travis, et l'emplissait de désir. Elle avait accroché dans ses boucles luisantes des fleurs et des rubans verts, ce qui la faisait ressembler à une princesse indienne — une princesse moderne qui saurait se servir d'un fer à friser. Travis était persuadé que les femmes passaient une bonne partie de leur temps à élaborer de telles coiffures dans le seul espoir de donner envie aux hommes de tout défaire — ce dont lui-même ne se privait pas…

De petits boutons fermaient chastement aux poignets les longues manches de sa robe, dont la partie supérieure, cependant, n'avait rien de pudique. Travis ne pouvait détacher son regard du plus prodigieux décolleté qu'il eût vu depuis bien longtemps. Mentalement, il évalua ses chances de jamais jouir d'un tel trésor, et soupira. Gwen était la seule femme célibataire de toute la vallée dont il n'avait jamais réussi à faire la conquête.

Et cela ne laissait pas de le frustrer, surtout à présent qu'il la voyait s'avancer vers lui, avec tous ses charmes mis en valeur de façon si efficace... Pourtant, il n'était guère habitué à se sentir frustré, car les femmes semblaient toujours prendre plaisir à lui donner ce qu'il voulait, et au moment où il le voulait. Il n'avait donc encore jamais eu l'occasion de se rendre compte qu'un refus pouvait être un aphrodisiaque bien plus puissant qu'un accord...

Gwen souriait, la tête haute, en poussant le landau d'où provenaient les hurlements. Mais Travis remarqua la nervosité de son regard et, un instant, son regard croisa celui de la jeune femme. Il y lut un appel à l'aide, silencieux et sans doute inconscient, auquel il ne put résister.

Sans réfléchir, il passa devant Sebastian et le pasteur pour rejoindre Gwen tout près de l'autel. Et quelle ne fut pas la stupeur de cette dernière lorsqu'elle le vit prendre le bébé dans ses bras et le caler contre son épaule — c'est-à-dire contre son costume...

Lizzie était vêtue d'une jupette blanche à œillet et de chaussons blancs, ce qui convenait parfaitement à la circonstance. Mais quelqu'un lui avait stupidement enserré la tête dans un bandeau élastique, ce qui expliquait sans doute son désespoir. Travis le lui ôta et embrassa les deux petites joues inondées de larmes.

Gwen se racla la gorge.

— Travis...

— Ne vous inquiétez pas, et allez prendre place, murmura Travis tout en fourrant le bandeau dans sa poche. Je m'occupe de la petite.

— Mais...

— Allez-y, coupa-t-il. Je vais la faire taire.

Ce n'était plus la peine. Lizzie ne pleurait déjà plus et se contentait de renifler sur son épaule, s'agrippant à lui comme si elle n'entendait pas le quitter. Travis regarda Gwen en souriant.

— Vous voyez ? dit-il.

Gwen secoua la tête.

— C'est complètement dingue, marmonna-t-elle.

Travis haussa les épaules.

— La plupart des filles m'adorent, répliqua-t-il en adressant un clin d'œil à Gwen.

Puis, tenant toujours Lizzie dans ses bras, il regagna sa place.

Gwen fit tout son possible pour ne pas se laisser émouvoir par le touchant spectacle de Travis, debout près de l'autel, autorisant un bébé à baver sur son smoking. Cependant, même si elle le savait déjà séduisant en jean, elle ne s'était pas du tout préparée à le voir dans un tel costume... Il avait l'air de sortir tout droit de l'époque victorienne, qu'elle adorait. En poussant le landau dans l'allée centrale, elle avait presque oublié les vagissements du bébé lorsqu'elle avait aperçu le grand col blanc qui mettait si bien en valeur le cou de Travis, le manteau noir serré sur ses larges épaules, et le gilet bien chaud qui s'ajustait parfaitement à son torse. Les gilets étaient faits pour des hommes comme lui. Le délicat bouton de rose accroché à son revers ne faisait que mettre en valeur sa virilité.

Dans l'espoir de dissiper son trouble, elle s'était persuadée que Travis était aussi vaniteux qu'un paon. Elle l'avait imaginé devant son miroir, peignant avec soin ses abondants cheveux bruns, se plongeant lui-même avec admiration dans les profondeurs fauves de son regard de séducteur, et faisant un clin d'œil à son reflet avant d'aller retrouver ses admiratrices. Mais un paon laisserait-il un bébé sucer son smoking comme une vulgaire tétine ? se demanda-t-elle. Ou tirer sur sa cravate jusqu'à en défaire le nœud ? De toute façon, pensa-t-elle encore, un paon ne serait pas venu à son secours en prenant Elisabeth dans ses bras.

La musique d'orgue s'amplifia, et, avec effort, Gwen quitta des yeux Travis et Lizzie afin d'accorder à Matty l'attention qu'elle méritait. A son tour, celle-ci s'avançait dans l'allée centrale. Bien que ce fût le deuxième mariage de Matty, Gwen avait insisté pour qu'elle porte une robe blanche toute simple, ainsi que le traditionnel bouquet de boutons de roses, de lavande et de lierre, qui lui seyait si bien. Gwen sentit sa gorge se serrer de bonheur et d'orgueil. Avec une pointe de nostalgie.

Jamais son amie n'avait été plus rayonnante. Le pur amour qui se lisait dans ses yeux raviva chez Gwen un désir qu'elle croyait éteint depuis longtemps — le désir d'aimer. Elle-même et Matty avaient épousé des mufles en premières noces. Mais cela n'avait pas empêché Matty de continuer à rêver, et elle avait trouvé un homme prêt à sacrifier sa vie pour elle.

La gorge de Gwen se serra davantage. Les hommes comme Sebastian Daniels étaient rares, et elle le savait. Ce rancher avait un physique de séducteur, mais il était resté doux et humble, et si peu conscient de l'effet qu'il faisait sur les femmes que c'en était attendrissant. Tout le contraire de Travis, qui s'imaginait que les femmes couraient le risque de s'évanouir chaque fois qu'il passait près d'elles.

Mais elle-même ne s'évanouirait pas, se dit Gwen. Grands dieux, non !

Dès que Matty eut rejoint Sebastian près de l'autel, Gwen jeta un coup d'œil en direction de Travis — seulement pour voir comment il s'y prenait avec Elisabeth, se dit-elle. Il était tout ébouriffé, et si séduisant… Il avait enlevé son bouton de rose, sans doute pour que Lizzie n'essaye pas de le manger, ou ne se blesse avec l'épingle, et Gwen se sentit émue de sa prévenance à l'égard du bébé. Ils jouaient à se frotter le nez, et l'enfant riait d'un rire cristallin, très féminin. Il n'y avait pas de doute, pensa Gwen, Travis savait s'y prendre avec la gent féminine. Et, à voir comment toutes les femmes de l'assistance, de huit à quatre-vingts ans, le dévoraient littéralement des yeux, sans chercher à dissimuler l'adoration qui se peignait sur leur visage, il y avait gros à parier que, dès la fin de la cérémonie, le carnet de rendez-vous de Travis serait rempli jusqu'à l'automne.

Alors, tant mieux ! se dit Gwen. Plus il serait occupé, moins elle aurait de chance de le rencontrer. Et si elle pouvait l'éviter assez longtemps, le désir qui s'emparait d'elle chaque fois qu'elle le voyait finirait bien par s'estomper. Ce mariage serait sa dernière épreuve, pensa-t-elle. Après, elle recouvrerait toute sa liberté.

Mais en attendant, cette dernière épreuve était bien difficile, se dit-elle encore, en se surprenant à lancer d'incessants coups d'œil en direction de Travis. Peut-être ce dernier se rendait-il compte que le bébé le mettait terriblement en valeur, pensa-t-elle. Dans ce cas, il l'utilisait peut-être pour attirer l'attention des femmes. Tout devait être calculé dans son attitude. Elle n'avait rien à faire d'un homme calculateur ! se dit-elle. Elle n'avait rien à faire d'un comédien jouant avec un bébé pour faire fondre le cœur des femmes…

— Gwen ! murmura Matty d'un ton amusé. L'anneau !

Gwen battit des paupières, tandis que la gêne l'envahissait. Elle avait oublié son rôle dans la cérémonie.

— Tout de suite, dit-elle en prenant une petite boîte dans le landau.

Elle avait prévu de prendre l'anneau beaucoup plus tôt et de le tenir prêt, mais Travis avait complètement accaparé son attention. Au diable ce cow-boy en smoking, avec son bébé dans les bras !

D'un air déterminé, Gwen reporta son regard sur Sebastian et Matty. Elle ne voyait que la nuque de la mariée — boucles d'or parées de tulle blanc… Mais, par-dessus son épaule, elle apercevait également le visage de Sebastian. Et, sans le moindre doute, le regard que ce dernier adressait à son épouse contenait à la fois amour, respect, dévotion, désir et compréhension, sans parler de quelques autres émotions que Gwen n'avait pas encore identifiées. Personne ne pouvait douter que Sebastian n'avait qu'un seul et unique amour, qu'il chérissait plus que tout au monde.

De nouveau, Gwen sentit sa gorge se serrer. Pour être tout à fait honnête avec elle-même, il lui fallait bien avouer que personne — et surtout pas son ex — ne lui avait jamais adressé un tel regard. Allait-elle passer sa vie entière sans jamais vivre une telle expérience ? se demanda-t-elle.

« Ressaisis-toi ! se sermonna-t-elle. Tu devrais t'estimer heureuse avec ce que tu as ! » Une maison victorienne qui était un petit bijou, et qu'elle avait pu conserver après son divorce en la transformant en partie en *bed and breakfast*… De plus, ce travail lui plaisait, même s'il lui arrivait parfois de se demander si ses hôtes pourraient jamais remplacer la famille qu'elle avait toujours désirée avoir un jour… Mais cette maison lui donnait les racines dont elle avait besoin. Elle ne voulait plus entendre parler de la vie itinérante de ses archéologues de parents. Enfant, elle avait détesté ces déménagements incessants. A présent, elle comptait avec fierté chaque année qu'elle passait à Huerfano. Elle en était déjà à sa huitième : jamais elle n'avait habité aussi longtemps dans le même endroit !

Evidemment, se dit-elle, être la patronne d'un *bed and breakfast* n'avait pas le prestige de la carrière internationale de ses parents, ou de celle de son frère, qui dirigeait un musée à Boston. Ils ne se privaient d'ailleurs pas de lui rappeler qu'à vingt-neuf ans, elle n'avait encore rien fait de sa vie. Mais personne ne lui ferait jamais quitter sa maison, pensa-t-elle.

— Vous pouvez embrasser la mariée, dit Pete McDowel.

Un soupir collectif monta de l'assistance lorsque Sebastian souleva le voile de Matty et prit son visage dans ses mains de rancher. Cette scène de tendresse se prolongea suffisamment pour que les yeux de Gwen s'embuent de larmes — du moins jusqu'à ce que Elisabeth se mette à roucouler et à pousser de petits cris, tout en se tortillant dans les bras de Travis…

Il n'en fallait pas davantage pour que l'attention d'une partie de l'assistance se détourne des jeunes mariés. Gwen se demanda ce que la petite Lizzie allait devenir. Sa mère, Jessica Franklin, semblait fuir quelqu'un ou quelque chose, et avait préféré mettre sa fille en sûreté chez Sebastian. Cela faisait quelques mois que lui et Matty s'occupaient de sa fille, et, déjà, un lien s'était créé entre eux.

Gwen avait l'intuition que c'était Travis, et non Sebastian, qui en était le père. Mais si Jessica ne revenait pas, elle savait que Sebastian et Matty pourraient offrir à la petite fille un foyer digne de ce nom. Bien davantage que ce play-boy de Travis. Même ce dernier était d'accord sur ce point, ce qui ne l'empêchait d'ailleurs pas de revendiquer la paternité de l'enfant chaque fois que l'occasion s'en présentait.

Mais personne ne saurait avec certitude qui était le père tant que Jessica ne l'aurait pas dévoilé. Elle avait appelé plusieurs fois pour prendre des nouvelles d'Elisabeth, mais n'avait répondu à aucune des questions qu'on lui avait posées.

Peut-être Jessica savait-elle ce qu'elle faisait, se dit Gwen. De toute façon, Elisabeth était en sécurité, et entourée de gens qui l'aimaient, dont Gwen elle-même. Mais elle s'efforçait de ne pas trop s'attacher à la petite Lizzie.

Les incessants déménagements de son enfance avaient appris à Gwen le détachement, car elle pouvait toujours perdre ses amis du jour au lendemain. Cela l'aidait à se rappeler qu'à tout moment Jessica pouvait revenir pour reprendre son bébé, même s'il n'était pas dit que Sebastian et Matty l'entendraient de cette oreille. Ou Travis. Il fallait reconnaître qu'il savait s'y prendre avec ce bébé, se dit Gwen avec réticence. Mais on ne pouvait pas compter sur lui, pensa-t-elle encore. Pas sur le long terme, en tout cas.

— Monsieur et Madame Sebastian Daniels, je vous déclare mari et femme, dit Pete McDowell de sa voix profonde et chaleureuse.

L'assistance applaudit, et Sarah Jane fit de nouveau vibrer les tuyaux de l'orgue. Alors, les jeunes mariés, se tenant par le bras, traversèrent l'allée centrale en sens inverse, tandis que Gwen avait toutes les peines du monde à retenir ses larmes. Elle était tellement heureuse pour son amie… Peut-être s'apitoyait-elle aussi un peu sur son sort, mais elle s'en remettrait, se dit-elle.

De nouveau, Gwen porta son regard en direction de Travis. Avec les émotions qu'elle éprouvait en ce moment, elle n'était guère disposée à fraterniser avec lui. Mais elle y serait bien obligée.

Cela ne durerait pas longtemps, se dit-elle pour se rassurer : il lui suffirait de remonter l'allée centrale à son côté, puis de danser une fois avec lui lors de la réception, et elle serait quitte de ses obligations à son égard. Ce ne serait pas trop tôt, pensa-t-elle.

Gwen rejoignit Travis dans l'allée centrale et lui fit signe de déposer Elisabeth dans le landau.

— Je ne veux pas prendre un tel risque, murmura-t-il.

— Comme il vous plaira, répliqua-t-elle.

Lors de la répétition, ils s'étaient tenus par le bras, chacun poussant le landau de l'autre main. Mais maintenant, Travis étant occupé avec Lizzie, Gwen décida qu'elle pouvait se passer de le tenir par le bras. Ce n'était pas plus mal, se dit-elle.

Elle poussa le landau des deux mains, s'attendant à ce que Travis se contente de la suivre. Au lieu de cela, il glissa son bras libre autour de sa taille, et, instantanément, elle eut l'impression de haleter comme la locomotive d'un train de minerai franchissant les Rocheuses.

— Ce n'est pas nécessaire, dit-elle en affichant un sourire figé à l'intention de l'assemblée.

De toute part, des regards d'envie convergeaient sur elle…

— Si, répliqua-t-il.

— Pas du tout !

Elle essaya de se dégager. Il la serrait vraiment de trop près, pensa-t-elle, lui et son après-rasage épicé… D'autant plus que le mariage de ses deux meilleurs amis l'avait émue aux larmes.

— Mais si, insista Travis en la serrant de plus près, ce qui la fit frissonner involontairement. Nous devons nous comporter comme si nous étions ensemble.

— Ensemble comme des amis, mais pas collés l'un à l'autre ! répliqua-t-elle, sentant la chaleur des doigts du cow-boy à travers l'étoffe légère de sa robe.

— Prenez les choses comme elles viennent, ma chérie.

Ces paroles la firent sursauter : cela faisait si longtemps qu'elle n'en avait pas entendu de si tendres…

— Je ne suis en aucun cas votre chérie ! dit-elle sèchement.

— Dommage pour nous deux. Ecoutez, je sais que vous me détestez et que ma présence est une torture pour vous, mais cela ne durera pas longtemps.

Oh oui, pensa Gwen, c'était une très grande torture pour elle. Et des plus cruelles. Comme elle aurait aimé, à cet instant, éprouver vraiment de la haine pour cet homme !

2.

Tandis qu'ils marchaient dans l'allée centrale de l'église, Travis n'avait pu résister à l'envie de prendre Gwen par la taille et de la serrer contre lui. Simple espièglerie de sa part, sans doute, avait-il pensé, puisqu'il savait combien elle le haïssait. Mais il avait eu la surprise de la sentir frémir contre lui.

Ce frémissement lui était familier. Généralement, les femmes l'éprouvaient lorsqu'il les touchait, mais il ne s'attendait pas à une telle réaction de la part de Gwen, car cette dernière ne cessait de lui signifier qu'elle ne s'intéressait pas le moins du monde à lui.

Aussi la serra-t-il encore plus fort, alors même qu'elle se plaignait de son comportement. Elle trembla encore davantage, et ses pommettes rougirent. Travis ne manqua pas de remarquer que cette rougeur se propageait jusqu'à sa poitrine, qu'il admira le plus longtemps possible — c'est-à-dire quelques secondes, compte tenu du lieu où il se trouvait. Travis avait toujours pensé qu'une femme portant un décolleté généreux s'attendait naturellement à ce que les hommes ne se privent pas de le contempler…

Lorsqu'il s'obligea à lever les yeux, il tremblait un peu lui-même, et sa respiration se trouvait quelque peu altérée. Car des fantasmes tourbillonnaient dans son esprit, dans lesquels il se voyait déboutonnant la robe de Gwen et dégustant avidement ses seins.

La jeune femme ne respirait guère plus librement, et son émoi rendait plus excitant encore son parfum de cannelle. Le temps qu'ils se retrouvent dans l'entrée où les nouveaux mariés les attendaient, et Travis avait décidé qu'il ne perdrait peut-être pas son temps s'il s'attaquait à l'épaisse cuirasse que Gwen avait revêtue pour le tenir à distance.

Il ne risquait pas de lui parler mariage, se dit-il, mais était-ce si important ? Il avait appris à plus d'une femme que le plaisir partagé ne conduisait pas forcément à l'amour éternel, mais qu'il était par lui-même, selon lui, une excellente raison pour se retrouver à deux entre des draps. Gwen avait besoin d'élargir ses points de vue, pensa-t-il, et il était justement celui qui pouvait le mieux l'y aider.

Cependant, s'il avait nourri la moindre illusion sur l'effet qu'il produisait sur Gwen, celle-ci la balaya dès qu'ils eurent franchi la porte de l'église. D'une violente secousse, elle s'arracha à lui, comme si elle venait d'étreindre par erreur un diable entouré de flammes. Si elle n'éprouvait rien pour lui, pensa Travis, elle ne se serait pas échappée d'une manière aussi ostensible.

Evitant le regard du cow-boy, elle planta là le landau et courut serrer Matty dans ses bras.

— Je suis si heureuse pour toi ! dit-elle.

Travis ne doutait pas de la sincérité de Gwen à cet instant, mais il décela dans sa voix un frémissement inhabituel. Preuve, selon lui, qu'elle ne se maîtrisait plus complètement — ce qui n'était pas pour lui déplaire. Lui-même avait dû plus d'une fois calmer sa respiration avant de sortir de l'église.

Il s'aperçut que Matty jetait un coup d'œil dans sa direction et haussa les épaules. Puis il ôta les doigts de Lizzie de son oreille avant de se diriger vers Sebastian, la main tendue.

— Eh bien, mon gars, c'est trop tard pour reculer, maintenant ! lui dit-il.

Souriant jusqu'aux oreilles, Sebastian étreignit la main de Travis.

— Ce qui est fait est fait, pas vrai ? dit-il.

— Pour sûr, répondit Travis. Toutes mes félicitations. Tu t'es bien fait prendre au lasso !

Puis il se tourna vers Matty, qu'il n'avait jamais vue aussi heureuse. Techniquement, c'était sa patronne, car il était le chef de ses cow-boys, mais il l'aimait comme une sœur, et se réjouissait qu'elle et Sebastian se soient enfin aperçus qu'ils n'étaient pas destinés à rester simples voisins toute leur vie.

Lizzie toujours dans ses bras, il embrassa Matty sur la joue.

— J'espère que vous savez que vous avez capturé le cow-boy le plus obtus de la vallée, murmura-t-il. S'il vous cause le moindre problème, faites-le-moi savoir, et je le rosserai comme il se doit.

— Je m'en souviendrai, répondit Matty, les yeux bleus pétillant de malice.

— Tous mes remerciements, Travis ! s'exclama Sebastian en lui donnant une tape sur l'épaule. J'avais réussi à convaincre Matty que j'étais parfait, mais toi, tu n'as pas pu t'empêcher de tout flanquer par terre !

— Il n'y a pas de quoi, répondit Travis en souriant.

Mais son sourire fit place à une grimace lorsque Lizzie s'avisa de lui prendre le nez à pleine main et de le pincer le plus fort possible.

— Cet enfant a des instincts de torero, dit Travis en écartant sa petite main.

Matty éclata de rire.

— C'est moi qui lui ai appris tout ce qu'elle sait, dit-elle. J'espère qu'à dix-huit ans, elle possédera parfaitement cette technique.

Ce n'était pas le moment de faire remarquer à Matty que Lizzie ne vivrait peut-être pas si longtemps avec elle, pensa Travis. La jeune mariée était plus attachée à ce bébé qu'elle ne le savait elle-même, se dit-il.

— Elle la possède déjà parfaitement, cette technique, protesta-t-il, tout en arrêtant le poignet de Lizzie juste avant qu'elle ne recommence.

— Laissez-moi la tenir un peu dans les bras, dit Matty. Elle vous a assez torturé comme cela.

— Ce n'est pas mon avis, fit remarquer Gwen.

Travis lui lança un coup d'œil. Il vit l'habituelle lueur de défi brûler au fond de ses yeux sombres, mais il ne pouvait plus en être affecté. Désormais, il était sûr que, derrière toutes ces fanfaronnades, se cachait une femme qui brûlait du désir d'être embrassée, et bien embrassée. Il se demanda s'il pourrait trouver, dès ce soir, l'occasion de remédier à cette situation.

— Lizzie est très bien dans mes bras, dit-il, surtout depuis que je l'ai débarrassée de ce serre-tête.

— Je savais que c'était une mauvaise idée, dit Matty en jetant un coup d'œil à son époux, mais Sebastian voulait absolument qu'elle ressemble à une grande fille.

— J'aimais bien ce serre-tête, dit Sebastian, le regard buté.

— Apparemment, pas elle, répliqua son épouse. Et je suis heureuse pour elle qu'elle ait été capable de se défendre.

Puis elle se tourna vers Travis.

— Donnez-moi cette petite diablesse, insista-t-elle. Elle me manque déjà.

Le regard de Travis se posa sur la robe de la mariée. Elle avait dû coûter une fortune, se dit-il. Il avait même entendu dire que les Daniels voulaient la conserver pour les générations suivantes.

— Je vais garder Lizzie, dit-il. Je n'ai pas l'impression que vous aimeriez qu'elle bave sur votre robe. Par contre, mon smoking n'est qu'un vêtement de location.

— Vous avez marqué un point, dit Matty. Je n'ai pas l'habitude de porter des habits de cérémonie, et je ne cesse d'oublier de faire attention. Merci pour votre sacrifice, ajouta-t-elle en adressant un sourire à Travis. Vous m'avez sauvé la mise.

— Sacrifice ? grinça Gwen. Mais c'est du petit-lait pour lui ! Il…

Matty se hâta de l'interrompre.

— Nous ferions peut-être mieux de commencer la réception, dit-elle. Gwen, vous prendrez la tête du cortège, suivie de Travis, de Sebastian…

— Le voilà donc, cet adorable bébé ! s'écria Donna Rathbone, maîtresse du jardin d'enfants et ancienne petite amie de Travis.

Travis se souvint qu'elle l'appelait « le chouchou de la maîtresse ». D'agréables souvenirs de brûlantes nuits d'été lui revinrent à la mémoire. Donna se précipita vers lui, suivie de toute la partie féminine de l'assemblée, qui ne cessait de jacasser au sujet du bébé.

— Bon, alors il va peut-être falloir mettre Travis en tête, dit Matty, tandis que ces dames le submergeaient dans un océan d'étoffes pastel et de parfums.

Matty et Sebastian avaient décidé que la réception se tiendrait dans leur ranch, le Rocking D, et sous un vaste chapiteau tout blanc. La ville entière semblait s'y être donné rendez-vous. De petites lampes accrochées aux mâts de la tente brillaient de mille feux, et des bouquets de fleurs printanières se trouvaient au centre de chaque table. Le bar était ouvert et le buffet croulait sous la nourriture.

Gwen appréciait cette atmosphère plaisante — le succulent barbecue, les vins chaleureux, la musique « country » des plus entraînante, le parfum de genévrier que chaque bouffée de vent laissait flotter dans l'air... Sans oublier Travis et son smoking chiffonné, qui semblaient attirer bien davantage l'attention de l'assemblée que les nouveaux époux.

Les femmes l'entouraient constamment, qu'il s'occupe ou non d'Elisabeth. Et pourtant, il ne se passait jamais plus de dix minutes sans qu'il parvienne à repérer Gwen dans la foule et à lui adresser un sourire ou un clin d'œil.

Longtemps, Gwen s'efforça à l'indifférence... avant de renoncer. C'était tellement grisant d'être remarquée par l'homme que toutes les autres femmes idolâtraient ! Mais le dîner touchait à sa fin, les danseurs ne tarderaient pas à envahir la piste, et elle serait tenue de danser avec lui... Alors, malgré l'atmosphère propice, il lui faudrait absolument éviter de succomber aux charmes considérables de cet homme, pensa-t-elle.

La première fois qu'elle avait aperçu Travis, elle avait tout de suite senti intuitivement que ses ennuis ne faisaient que commencer. Cela se passait dans le ranch de Matty, qu'elle avait rencontrée quatre ans plus tôt au rayon laine d'un grand magasin. Gwen, qui s'adonnait alors au tricot pour se remettre de son divorce avec Dereck, s'était aperçue que Matty, de son côté, utilisait chez elle un métier à tisser pour la même raison. Ces deux femmes qui avaient tant en commun étaient vite devenues d'inséparables amies.

Elles adoraient se retrouver ensemble... s'il n'y avait eu la présence occasionnelle du cow-boy en chef de Matty pour apporter une ombre au tableau, en ce qui concernait Gwen. Travis lui rappelait beaucoup trop Dereck. Il jouait exactement sur les mêmes cordes sensibles que ce dernier... Il réussissait à faire battre son cœur plus fort d'un regard, à lui dérégler la respiration par un seul sourire ensorceleur... Mais Gwen n'avait nullement l'intention d'offrir une nouvelle fois son cœur à un séducteur invétéré, qui mettait toute sa fierté dans sa seule prestance.

Fort heureusement, Travis passait toujours l'hiver chez lui dans l'Utah. Gwen n'avait donc à le supporter qu'en été. Et, comme c'était la saison touristique, elle avait beaucoup trop d'hôtes dans son *bed and breakfast* pour pouvoir fréquenter souvent ses amies. Par-dessus le marché, elle mettait tant d'habileté à éviter Travis que même Matty n'avait découvert que récemment à quel point Gwen se sentait vulnérable face à lui. En fait, elle s'en était seulement aperçue après la venue d'Elisabeth, qui avait bouleversé leur vie à tous...

Le bébé se trouvait à présent sur les genoux de Sebastian, et Matty jouait avec elle. Sans aucun doute, se dit Gwen en souriant, Elisabeth avait complètement changé la vie de Matty et de Sebastian. Elle avait contribué à renforcer les liens qui les unissaient. Mais elle-même n'avait pas de lien avec Travis... Elle ferait bien de ne jamais l'oublier !

Juste au moment où l'orchestre achevait un morceau, Travis reprit sa place à la table principale et leva son verre.

— Mesdames et messieurs, dit-il, pouvez-vous m'accorder quelques instants votre attention ?

Cela ne posera de problème à aucune de ces dames, pensa Gwen. Dès les premiers accents de sa voix de baryton, elles s'étaient tournées vers lui comme des marguerites vers le soleil.

— J'aimerais porter un toast aux jeunes mariés ! dit-il avec un large sourire. Tu sais, Sebastian, ce sera comme tirer sur des animaux en cage...

— Vas-y, fais-lui sa fête, Travis ! cria un des ranchers à l'autre bout de la tente.

Gwen leva les yeux au ciel. Travis allait profiter de son toast pour se lancer dans de grasses plaisanteries, se dit-elle. De toute façon, il ne prenait jamais rien au sérieux...

— Eh bien, vous autres, reprit Travis, si vous n'avez pas entendu Sebastian Daniels chanter d'une voix sirupeuse « Les Chevaliers

Fantômes », vous n'avez jamais rien entendu ! Si j'avais écrit les vœux qu'ils viennent de prononcer, j'aurais fait promettre à Matty d'adorer, de chérir… et de supporter une aubade de « Chevaliers Fantômes » tous les matins sous la douche. Oh ! J'allais oublier les tyroliennes ! Mais Matty n'est peut-être pas encore au courant…

Gwen rit de bon cœur, comme tout le monde — y compris Matty et Sebastian.

Puis, Travis se racla la gorge, et Gwen se prépara à entendre d'autres plaisanteries de ce genre.

Mais Travis ne souriait plus.

— A part les tyroliennes, dit-il d'un ton changé, je connais Sebastian Daniels depuis bien des années, et c'est un sacré bon copain. En cas d'ennui, c'est lui qu'il faut appeler. Son cœur est plus large que la prairie Sangre de Cristo.

Gwen ne pouvait en croire ses oreilles. Juste au moment où elle pensait enfin savoir comment Travis allait se comporter, il faisait exactement le contraire…

— Sebastian adore cette propriété, poursuivit le cow-boy. Jusqu'à ces derniers temps, je ne le croyais pas capable d'aimer quelque chose — ou quelqu'un — davantage que ce paradis qu'il appelle le Rocking D. Mais j'avais tort. Son amour pour son ranch n'est qu'une goutte d'eau dans la mer en comparaison de ce qu'il ressent pour la femme qui est aujourd'hui à ses côtés.

Gwen sentit sa gorge se nouer d'émotion. Elle pouvait résister à tout ce que disait Travis — sauf lorsqu'il était sincère…

— Il a trouvé son âme sœur en Matty, dit encore Travis. C'est la femme la plus sincère et la plus loyale que j'aie jamais connue. S'il existe un couple béni des dieux, vous l'avez devant vous. Que Dieu bénisse Matty et Sebastian. Je suis fier d'être à leurs côtés.

Gwen était bouleversée. Tout en battant des cils pour retenir ses larmes, elle applaudit à tout rompre. Puis elle avala une gorgée de vin pour participer au toast et prit une serviette pour s'essuyer les yeux.

Là-dessus, l'orchestre attaqua une valse, et Sebastian tendit Elisabeth à Travis.

— Merci, dit Sebastian d'une voix étonnamment rauque. C'était… rudement gentil !

— C'était formidable ! ajouta Matty en reniflant.

— J'étais absolument sincère, assura Travis. Et maintenant, Monsieur et Madame Daniels, ne ratez pas la première danse. Vous la méritez bien !

Tandis que les nouveaux époux se dirigeaient vers la piste de danse, Travis s'assit auprès de Gwen et prit Elisabeth sur ses genoux.

— Qu'en pensez-vous ? demanda-t-il d'un ton qui donnait à croire qu'il accordait réellement de l'importance à l'opinion de Gwen.

— Super ! répondit cette dernière en buvant une autre gorgée de vin.

Mais elle fut prise d'une quinte de toux, et se saisit vivement de sa serviette afin de la placer devant sa bouche. Sans négliger de tenir Elisabeth, Travis donna de sa main libre de petites tapes dans le dos de Gwen.

— Je ne voulais pas vous rendre nerveuse, dit-il.

Dans ce cas, c'est raté, pensa Gwen en lui lançant un bref regard. Mais au moins, elle avait une bonne excuse pour justifier ses larmes, se dit-elle encore en continuant à tousser et à suffoquer.

— Et maintenant, nous voulons la demoiselle d'honneur et le garçon d'honneur sur la piste ! annonça le chef d'orchestre.

Travis se pencha sur la jeune femme.

— Vous êtes prête ? demanda-t-il.

Gwen toussa encore une fois.

— Bien sûr ! dit-elle enfin, d'une voix rauque. Mais qu'allons-nous faire d'Elisabeth ?

— Nous allons la prendre avec nous, répondit-il en se levant.

Gwen eut une réaction qu'elle qualifia aussitôt de stupide. Car elle se sentit déçue de ne pas se retrouver seule avec Travis, de ne pas l'avoir pour elle toute seule ! Elle serait pourtant bien davantage en sécurité si Elisabeth se retrouvait entre eux deux, se dit-elle, et il était primordial pour elle de se sentir en sécurité. Il lui fallait impérativement se préserver de Travis.

Malheureusement, le toast si sincère de ce dernier avait anéanti le système de défense de Gwen, tout en réveillant en elle des besoins dangereux qu'elle ferait mieux d'étouffer, se dit-elle... Surtout en présence de ce damné cow-boy !

Travis la prit par le bras et la conduisit vers la piste de danse. Une fois de plus, Gwen sentit la jalousie des autres femmes. Mais elle n'était pas obligée de danser deux fois avec le garçon d'honneur... D'autant plus, se dit-elle, que Travis, dès la fin du morceau, serait assailli de toutes parts par ces dames : elle n'aurait donc plus du tout besoin de se protéger de ses avances. Et cela ne la déprimerait pas du tout, se dit-elle avec force. Au contraire, elle en serait même très heureuse.

— Que diriez-vous de porter Lizzie ? demanda Travis en mettant le pied sur la piste de fortune qui avait été aménagée à l'extrémité de la tente. Comme cela, je pourrais vous avoir toutes les deux dans mes bras.

Sans attendre de réponse, il mit Elisabeth dans les bras de sa cavalière. Sans un geste, la petite se laissa faire, car déjà ses yeux se fermaient. Gwen la berça, et, presque aussitôt, Lizzie bâilla, posa avec confiance sa tête sur l'épaule de la jeune femme, et s'endormit. Le cœur débordant de plaisir, Gwen déposa un baiser sur la petite joue de velours.

Ces dernières semaines, Gwen s'était efforcée de mettre quelque distance entre elle-même et ce petit ange... Mais cette distance venait d'être réduite à néant, se dit-elle. Comme toute personne connaissant Elisabeth, elle était tombée sous son charme.

— Parfait ! murmura Trevis.

Puis il entoura Gwen et Elisabeth de ses bras, et les fit doucement entrer dans le rythme lent et chaloupé de la musique.

Dans de telles circonstances, cette danse aurait dû être innocente, et même platonique, pensa Gwen. Mais il lui fallait tout de même regarder Travis en face, et le seul fait de plonger son regard dans les reflets dorés de ses yeux parut à Gwen encore plus intime et sensuel que danser joue contre joue avec lui. Fascinée, elle sentit que, si elle détournait le regard, ce ne serait que lâcheté de sa part — ou manque de confiance.

— Vous n'avez aucune raison d'avoir peur de moi, Gwen, dit-il.

— Je n'ai pas peur, répliqua-t-elle en redressant la tête.

Dans son sommeil, Elisabeth laissa glisser sa petite main, qui s'arrêta sur l'un des seins de Gwen, et ce contact innocent suffit à enflammer les nerfs, déjà très en alerte, de la jeune femme.

Travis jeta un coup d'œil sur la main d'Elisabeth et ébaucha un sourire. Puis son regard remonta, s'attardant un instant sur la bouche de Gwen. Lorsque leurs yeux se rencontrèrent de nouveau, une petite flamme brûlait au fond du regard de la jeune femme. Une petite flamme qui n'existait pas un instant plus tôt...

— Mais si, vous avez peur, insista-t-il. Votre pouls bat à toute vitesse. Et pourtant, je ne vous ferai pas de mal !

Gwen s'efforça de respirer plus calmement, et le parfum épicé de Travis se mêla à l'odeur de talc du bébé. Un bébé et un homme à aimer... Elle venait de se rendre compte que c'était cela qu'elle désirait plus que tout au monde !

— Vous avez raison, dit-elle, vous ne me blesserez pas. Mais seulement parce que je ne vous en donnerai pas l'occasion !

— Vous savez, répliqua Travis, il y a une grande différence entre votre ex et moi.

— Je ne veux pas entendre parler de Dereck ! s'écria Gwen.

— Je n'en parlerai pas. C'est de moi que je veux parler.

Gwen s'efforça de ne pas réagir au ton caressant de Travis.

— Je sais déjà tout ce que j'ai besoin de savoir sur vous, dit-elle.

— Cela m'étonnerait. Si c'était le cas, je ne vous ferais pas peur. Gwen, ajouta-t-il, on ne peut blesser quelqu'un qu'en brisant les promesses qu'on lui a faites. Et cela, je ne le ferai jamais.

— Parce que vous ne faites jamais de promesses ? répliqua-t-elle, se reprochant d'avoir frissonné lorsqu'il avait prononcé son nom.

— C'est vrai, répondit-il. Des promesses d'éternité, je n'en fais jamais. Mais, ajouta-t-il en lui parcourant lentement le dos du bout des doigts, je peux vous promettre de vous faire l'amour sincèrement, tendrement et sans retenue, tout le temps que nous déciderons de rester ensemble.

Gwen faisait tout pour lui cacher qu'il l'attirait, mais elle se disait que, sans doute, rien ne lui échappait : son souffle court, son pouls affolé, la rougeur de son visage…

— Si nous savons tous les deux à quoi nous en tenir, murmura-t-il, personne ne pourra être blessé.

Oh, elle avait vraiment envie de lui, pensa-t-elle. Elle aurait voulu l'embrasser à en perdre le souffle…

— Pourtant, dit-elle, je connais plusieurs femmes dont vous avez brisé le cœur. Je parie qu'elles ne seraient pas d'accord avec ce que vous prétendez.

— Dans ce cas, c'est parce qu'elles se sont elles-mêmes dupées. Moi, jamais je ne leur ai menti !

Il avait une bouche merveilleuse, pensa-t-elle. Toute femme devrait pouvoir embrasser une telle bouche au moins une fois dans sa vie. Et si le reste de son corps était à la hauteur de ce que promettait sa bouche, alors…

— En tout cas, vous y pensez, fit-il remarquer. C'est un bon début.

— Ce que je pense, c'est que vous êtes suprêmement arrogant !

Délicieusement arrogant.

Gwen se demanda si elle serait capable de faire l'amour sans s'engager pour la vie. D'éprouver un plaisir non lié à des promesses. Ce n'était pas ce à quoi elle avait toujours rêvé. Mais l'amour éternel lui semblait un idéal si distant qu'elle pouvait peut-être, en attendant, s'autoriser à profiter… Non, c'était trop risqué, se dit-elle. Cependant, elle n'ignorait pas que le seul fait d'avoir simplement envisagé une liaison avec Travis signifiait que ce dernier avait trouvé une brèche dans ses défenses…

— Je n'ai rien d'arrogant, assura-t-il en lui couvrant le dos de subtiles caresses. Je serais bien incapable de l'être. C'est vous qui exercez sur moi un pouvoir absolu !

— Certainement pas ! répliqua Gwen. Vous êtes un séducteur de première, Travis. Je ne vous arrive même pas à la cheville.

— Vous vous sous-estimez. Dès que je vous ai vue dans l'allée centrale de l'église, avec cette robe d'enfer, mes jambes se sont presque dérobées sous moi. Gwen, c'est un homme désespéré qui vous supplie d'adoucir votre cœur.

Et, certes, elle s'adoucissait. Dans sa tête, dans son cœur, partout… Elle avait beau trouver qu'il en rajoutait, ses compliments ne manquaient pas de faire leur effet. Encore un petit effort de la part de Travis, et elle s'abandonnerait comme une petite fille dans ses bras.

— Je ne veux pas n'être qu'un nom de plus dans votre palmarès, dit-elle.

Il eut un large sourire, si séduisant… Ses yeux brûlaient de passion contenue.

— Alors, riposta-t-il, permettez que j'en sois un dans le vôtre.

3.

Travis se vantait d'être capable d'obtenir, devant n'importe quelle assemblée, que chaque femme se croie la seule qu'il eût remarquée. Mais, ce jour-là, ses pouvoirs se trouvaient mis à rude épreuve. A vrai dire, il ne mettait guère de cœur à l'ouvrage. Il était certes flatteur d'avoir tant d'invitations à danser, mais il aurait tellement préféré se trouver dans un petit bar tranquille, à danser avec Gwen au son d'un juke-box…

De plus, il n'appréciait guère de voir Gwen danser si souvent — et surtout, de la voir prendre si ostensiblement du bon temps. Car c'était *lui* qu'elle aimait, se répétait-il. Il l'avait vu dans ses yeux, la seule fois où ils avaient dansé ensemble. Depuis qu'il avait installé Elisabeth dans la petite voiture en osier que Sebastian venait de placer dans un coin de la tente, Travis ne songeait plus qu'à danser de nouveau avec Gwen. Après avoir vu la flamme qui brûlait dans ses yeux à la fin de la première danse, il lui tardait d'attiser le feu qu'il avait allumé…

Mais, au lieu de cela, il avait dû subir l'assaut de toute la population féminine de Huerfano. Presque toutes les femmes présentes avaient eu droit à une danse avec lui. Apparemment, ni son petit numéro avec Lizzie, près de l'autel, ni son toast aux jeunes mariés n'avaient nui à sa popularité, bien au contraire. En tout autre occasion, il s'en serait réjoui. Mais, ce soir-là, il était d'une humeur bien étrange : il n'avait envie que d'une seule femme…

Ces dames l'accaparaient tellement qu'il n'avait même pas trouvé le temps de s'offrir une bière bien fraîche. Il s'excusa auprès de Donna, l'institutrice du jardin d'enfants, et se dirigea vers le bar.

— Hé, Roméo !

Sebastian le prit par le bras tandis qu'il repartait dans la cohue, une bière fraîche à la main.

— Tu as une minute ? lui dit-il. C'est ma tournée.

Un large sourire aux lèvres, Travis retourna au bar en brandissant sa canette.

— Remettez-en une autre pour le garçon d'honneur, dit-il au barman. Le pauvre voudrait bien faire la noce, lui aussi, tant qu'il en a encore la possibilité !

— Ouais, profites-en, dit Sebastian. Moi, j'en vois de toutes les couleurs : tout le monde ne supporterait pas d'être l'époux d'une déesse. Heureusement, je suis à la hauteur. Viens, on va prendre un peu l'air.

— Mon discours t'a donné la grosse tête, pour sûr ! dit Travis en suivant Sebastian.

Dehors, il commençait à faire froid, mais l'air frais leur fit du bien. Sebastian s'adossa contre le camion du traiteur, déboutonna le haut de son smoking - cela faisait une éternité qu'il ne portait plus de cravate — et leva sa canette en souriant à Travis :

— A un sacré mariage ! dit-il.

— A une super fête pour une super bonne raison ! dit Travis en trinquant.

Ils burent longuement. Puis Sebastian s'abîma dans la contemplation du ciel étoilé.

— C'est la pleine lune, dit-il.

— Je sais, répliqua Travis. Je l'ai commandée spécialement pour vous.

— Le plus drôle, dit Sebastian en riant, c'est que je te crois !

— Bien sûr ! Je peux tout faire, pour peu que je me concentre...

— Ha, ha ! Vraiment, Evans, tu devrais essayer de corriger un peu ton problème de manque de confiance en toi !

— Je sais ce que je dis.

— O.K., tu es formidable. Mais écoute, Matty et moi, nous avons repensé à notre lune de miel. Je crois finalement que je vais engager quelqu'un pour t'aider à prendre soin d'Elisabeth pendant que nous serons à Denver.

Travis se raidit.

— Tu ne me fais pas confiance, dit-il.

— Bien sûr que si ! Peut-être pas au début, mais maintenant, je vois bien que tu as assimilé les bases. Seulement, je ne sais pas ce que tu ferais si quelque chose allait de travers. Il nous faudrait au moins trois heures pour rentrer à la maison, en supposant que le message nous parvienne, et…

— Tu t'inquiètes comme une vieille grand-mère, Daniels, je t'assure ! Il n'y aura pas de problème. Si c'était grave, je l'emmènerais chez le Dr Harrison. Si c'était bénin, j'irais voir Gwen.

Travis trouva très séduisante cette idée qui lui était venue en parlant. Il ne souhaitait nullement qu'il arrive quelque chose à Lizzie, mais il avait bien remarqué que le cœur des dames fondait chaque fois qu'elles le voyaient s'occuper du bébé. Cela pourrait marcher aussi avec Gwen, se dit-il. Oui, il se pourrait bien qu'il ait à consulter Gwen de temps en temps à propos de Lizzie…

— Qu'est-ce qui se passe entre toi et Gwen ? demanda Sebastian. Je vous croyais en froid, mais, lorsque vous avez dansé ensemble, les choses semblaient rudement bien se passer. Vous aviez l'air en harmonie, tous les deux…

— Je crois qu'elle s'est enfin aperçue que je n'avais ni cornes ni queue fourchue, répondit Travis. Pourquoi tout le monde croit-il que je ne pense qu'à briser le cœur des femmes ?

— C'est peut-être à cause de toutes celles que tu as fait pleurer, suggéra Sebastian avec ironie.

— Ecoute, répliqua Travis, j'ai dit et redit à chacune d'elles que je n'étais pas du genre à m'engager sérieusement. Est-ce ma faute si elles ne veulent jamais m'écouter ?

Sebastian but une gorgée de bière et leva les yeux au ciel.

— Moi aussi, dit-il, j'ai répété à Matty que je ne pouvais m'engager, à cause du bébé. Je croyais qu'il faudrait que je demande Jessica en mariage. Cela n'a pas empêché Matty de souffrir.

Puis il ajouta, en regardant de nouveau Travis :

— On ne peut pas empêcher une femme de tomber amoureuse.

— Je ne veux pas que Gwen tombe amoureuse de moi, dit-il, visiblement mal à l'aise sous le regard de Sebastian. Je veux seulement...

— Ouais, je sais ce que tu veux seulement ! Sa robe ferait se damner un saint !

— Et réveillerait un mort, ajouta Travis en souriant.

Sebastian se mit à rire.

— Et remplacerait le Viagra, dit-il.

— C'est la nature humaine...

— Je sais exactement de quelle nature humaine tu parles, dit Sebastian. Tu es une légende vivante. Mais vas-y doucement avec Gwen, d'accord ? Elle est très gentille, et elle a passé de bien mauvaises années avec son mari...

— Je te promets de faire très attention. Nous ne ferons rien qui ne soit dans notre meilleur intérêt, à tous les deux.

— Parfait ! approuva Sebastian. Autre chose, ajouta-t-il : si Jessica revient pendant notre séjour à Denver, tu l'héberges dans notre ranch jusqu'à notre retour, O.K. ?

— Tu parles ! Jessica nous doit des explications à tous.

Et avant tout, pensa Travis, elle doit nous dire qui est le père de Lizzie !

Cependant, tout au fond de lui-même, il ne doutait pas de sa paternité. Sans même parler du visage de Lizzie, qui lui ressemblait, le bébé avait le même tempérament que lui. Elle était futée, facile à vivre, et aimait tout le monde.

— De toute façon, je ne suis pas sûr que Jessica soit à même de s'occuper d'Elisabeth, dit Sebastian. Je vais faire mon possible pour garder la petite avec nous.

— Je n'arrive pas à imaginer que Jessica pourrait abandonner son bébé, répliqua Travis. Telle que nous l'avons connue, je la crois incapable d'envisager une chose pareille. Il ne faut pas oublier que c'est grâce à son courage que Nat a eu la vie sauve après l'avalanche. Il a dû lui arriver quelque chose de très grave, pour qu'elle abandonne son enfant comme cela.

— Pour sûr, approuva Sebastian. Et je veux savoir quoi.

Il but une nouvelle gorgée de bière, avant d'ajouter :

— J'ai décidé d'engager un détective privé quand nous serons à Denver.

— Bonne idée. Je partagerai les frais avec toi. Cette histoire dure depuis bien trop longtemps.

— Marché conclu !

Sebastian tendit l'oreille en direction de la tente.

— Je crois que nous ferions mieux de rentrer, si nous voulons avoir une chance d'attraper la jarretière de la mariée.

— Vas-y si tu veux ! répliqua Travis. Je préférerais attraper un serpent à sonnettes à mains nues !

— Je ne comprends pas ton problème, Evans, dit Sebastian en riant. Tu as vingt-huit ans : comment se fait-il que l'insouciance du célibat ne te pèse pas encore ?

— Mais le célibat, c'est super !

— Le mariage aussi, répliqua Sebastian. Enfin, j'entends bien que le mien le soit, cette fois-ci…

— C'est peut-être vrai pour toi, mais pas pour tout le monde, riposta Travis avant d'avaler de nouveau une bonne rasade de bière.

— En tout cas, fais au moins semblant d'essayer d'attraper la jarretière. En tant que garçon d'honneur, tu te dois de participer à la cérémonie de bout en bout.

— J'arrive dans deux minutes. Et merci pour la bière, dit Travis en levant la canette.

— Ne t'inquiète pas, cela sera déduit de ta paye. N'oublie pas que Matty et moi avons réuni nos deux ranches, si bien que maintenant, tu travailles pour moi !

Travis porta les deux mains à son cœur et fit mine de chanceler.

— Je t'en prie, ne me dis pas qu'il faut que je t'appelle *patron* !

— Ou bien Votre Seigneurie Royale. Ce qui te vient le plus facilement.

— Et pourquoi pas le Seigneur des Casse-Pieds ? demanda Travis avec un large sourire. Cela me vient vraiment très facilement.

Sebastian leva les yeux au ciel.

— Quand je lancerai la jarretière, dit-il, je viserai ton arrogante personne. Tu as besoin d'une femme pour te rabattre le caquet. Maintenant, amène-toi.

— Une minute !

— Déjà insubordonné ! soupira Sebastian en regagnant la tente.

Travis avait l'intention de ne faire son apparition qu'au tout dernier moment, juste à l'instant où la jarretière serait lancée, pour empêcher Sebastian de le viser. Il n'était pas vraiment superstitieux, mais, dans ce domaine, on n'est jamais trop prudent, se dit-il.

Il avait déjà pensé au mariage, et plus souvent qu'il voulait bien l'admettre. Mais il en avait conclu que cela était incompatible avec sa vie actuelle. Car il avait fait une promesse à son père avant sa mort, six ans plus tôt, et il entendait l'honorer. L'hiver, il s'occupait donc de sa mère, qui ne pouvait se déplacer si personne ne déblayait la neige — il y en avait souvent de un à deux mètres — et il la conduisait partout où elle devait se rendre.

Personne dans la vallée ne savait ce qu'il faisait l'hiver dans l'Utah, et il en était bien aise. Il ne lui déplaisait pas d'être pris pour un playboy insouciant. Mais la réalité était tout autre : sa mère lui prenait beaucoup de temps et d'énergie, car il voulait qu'elle reste en bonne santé et heureuse. Dans ces conditions, il ne pensait pas pouvoir se consacrer à une épouse.

Gwen n'avait pas l'intention de participer au lancement du bouquet, mais Matty l'avait informée qu'une demoiselle d'honneur ne pouvait se défiler. Aussi se plaça-t-elle au dernier rang des femmes, pensant que Matty ne pourrait pas le lancer si loin. Tandis que les femmes riaient et plaisantaient, Matty se retourna et lança le bouquet... jusqu'au dernier rang. Une fraction de seconde, Gwen envisagea de ne pas l'attraper et de le laisser tomber sur le sol, mais cela aurait gâché la fête. Avec toute la maîtrise qu'elle avait acquise sur les terrains de volley de l'école, Gwen sauta et s'empara de ce prix qu'elle ne convoitait guère. Elle se sentit assez gênée par le tonnerre d'applaudissements et d'acclamations qui suivit, mais, heureusement, Matty ne tarda pas à détourner l'attention de tous en annonçant le rituel de la jarretière.

Sous un déluge de sifflets, Matty posa un pied sur une chaise et remonta sa robe. Puis Sebastian la délesta prestement de sa jarretière, qu'il enroula autour de son doigt avant de se tourner vers les hommes.

— Messieurs, le spectacle est terminé. Et qu'aucun d'entre vous ne s'avise plus désormais de siffler en voyant ma femme, compris ?

— Rabat-joie ! cria un des cow-boys.

— Non, *mari* ! répliqua Sebastian avec un sourire sans aménité. Et maintenant, ajouta-t-il, où diable se trouve Evans ?

— Evans ? dit un des hommes avec un gros rire. On ne verra jamais ce type à portée d'une jarretière de mariée. Envoie ce truc vers moi, Daniels. Je ne verrais aucun inconvénient à danser une nouvelle fois avec la demoiselle d'honneur !

— Sauf si j'attrape avant toi ce bidule en dentelle ! lança son voisin.

— Alors, il faudra que vous me passiez devant ! cria un autre cow-boy.

Gwen trouva certes flatteur d'entendre des hommes se disputer le droit de danser avec elle. Mais elle ne parvint pas à ressentir le moindre enthousiasme pour un seul d'entre eux. Et ce n'était pas faute d'essayer, car ces gars-là étaient gentils et sérieux.

Elle aurait dû se méfier du pouvoir de séduction de ce don Juan de Travis, pensa-t-elle. Le seul homme qui l'intéressait dans la vallée était le dernier auquel elle aurait dû songer. Heureusement, il était encore hors de la tente et ne risquait donc pas d'attraper la jarretière.

— J'ai bien peur que nous devions faire cela sans Evans, dit Sebastian. Et n'essayez pas de tricher en jouant des coudes ! ajouta-t-il en souriant. J'aime à penser qu'il n'y a que des gentlemen ici. Que le meilleur gagne ! ajouta-t-il en tendant la jarretière comme une fronde.

— Quelqu'un m'a appelé ? demanda Travis en faisant irruption dans la tente.

— Il était moins une ! marmonna Sebastian en lançant la jarretière.

Tout le monde connaissait la dextérité de Travis. Il attrapait et ficelait les veaux plus vite que quiconque dans la vallée, et ne se privait pas de s'en vanter. Pourtant, lorsqu'il s'empara de l'objet en se détendant à la vitesse de l'éclair, les femmes en eurent le souffle coupé et les hommes se mirent à jurer.

— Pourquoi as-tu fait cela ? se plaignit Jason Lichtfield, un cowboy efflanqué qui n'avait eu d'yeux que pour Gwen pendant toute la soirée. Tout le monde sait que tu ne cherches pas à te faire mettre la corde au cou !

Travis fourra la jarretière dans sa poche en haussant les épaules, puis se dirigea vers Gwen.

— Peut-être, répliqua-t-il, mais je n'ai pu danser qu'une seule fois avec Gwen, tellement vous étiez agglutinés autour !

Le cœur battant, Gwen demeurait immobile, comme figée. Cette fois, se dit-elle, il n'y aurait pas de bébé entre elle et Travis... Ce dernier plongea son regard dans le sien, puis fit une profonde révérence.

— Pouvez-vous m'accorder cette danse ? demanda-t-il cérémonieusement.

— Je suppose que oui, répondit-elle, tandis qu'il lui prenait la main et la conduisait vers la piste. Vous avez fait ce qu'il fallait pour.

— Pour moi, ce n'était qu'un jeu d'enfant. Je n'ai jamais eu de problème de coordination motrice.

— Ni d'excès de modestie, riposta Gwen.

Travis rit de bon cœur et passa le bras autour de la taille de sa cavalière. Gwen posa sur son épaule la main qui tenait le bouquet, si bien qu'ensuite, à chaque tourbillon de la valse, le parfum des roses et de la lavande tournoyait autour d'eux et jouait avec leurs sens.

Elle aurait cru qu'un homme aussi viril que Travis la serrerait tout contre lui, pour obtenir le plus de contact physique possible avec elle. Pourtant, il laissa plusieurs centimètres entre eux, la guidant fermement par la taille, tout en lui tenant la main droite avec douceur et dextérité.

Une fois de plus, c'était par son regard qu'il la tenait captive. Travis pouvait faire davantage avec ses yeux que tous les autres hommes qu'elle avait jamais connus, se dit-elle. Ce soir même, ses nombreux partenaires l'avaient tous serrée le plus fort possible, afin de lui prouver physiquement l'intérêt sexuel qu'ils lui portaient. Et pourtant, aucun d'entre eux ne l'avait fait frissonner.

Avec Travis, au contraire, elle frissonnait. L'endroit où il la tenait par la taille était devenu une véritable zone érogène, envoyant de petits frissons d'excitation dans tout son corps. L'habileté et le sens du rythme de son cavalier incitaient Gwen à évoquer sa réputation légendaire en tant qu'amant, d'autant plus que son regard la poussait à s'imaginer qu'elle était en train de faire l'amour avec lui.

Comme toutes les femmes de la vallée, elle avait entendu bien des rumeurs concernant les prouesses de Travis, et son imagination faisait le reste. C'était sans doute le genre d'amant auquel recourent les femmes dans leurs fantasmes les plus érotiques. Le genre d'amant sur lequel elle-même avait fantasmé, mais qu'elle n'avait jamais essayé de conquérir…

… Parce qu'il était bien trop dangereux, se dit-elle. Il pourrait lui briser le cœur, sans espoir de guérison. Mais aussi… Il pourrait réaliser ses fantasmes les plus secrets et lui révéler sa propre sensualité comme aucun autre homme n'avait su le faire. Mais il ne s'engagerait pas. Il ne resterait même pas longtemps. Il ne le faisait jamais.

Autour d'eux, l'atmosphère s'emplit de désir non exprimé, et Gwen s'efforça de rompre le silence :

— C'est incroyable que vous ayez voulu attraper la jarretière, dit-elle. Vous ne devez pas être superstitieux…

— Je le suis plus que vous le croyez, répondit-il en resserrant légèrement son étreinte. Mais comme c'était le seul moyen de danser de nouveau avec vous, j'ai décidé que le jeu en valait la chandelle.

Gwen avala difficilement sa salive.

— Et l'avez-vous regretté ? demanda-t-elle.

— Oh, je pense que je ne le regretterai pas, dit-il, tout en lui caressant du regard le visage, le cou, puis les seins, sur lesquels il s'attarda un peu plus longtemps que l'exigeait la politesse.

Lorsqu'il leva de nouveau les yeux, Gwen put y lire toute l'ardeur de son désir. Il se rapprocha encore un peu d'elle, jusqu'à ce que, presque à chaque mouvement, le corsage de sa robe vienne frotter la chemise de son smoking, et en accrocher légèrement les boutons de nacre. A ce contact fin et subtil, ses tétons se durcirent et sa respiration se fit plus difficile.

— Votre *bed and breakfast* est-il complet en ce moment ? murmura Travis.

— Pourquoi cela ? demanda-t-elle en se forçant à le regarder dans les yeux. Vous avez besoin de mes services ?

— Pas du tout, répondit-il. Je me demandais seulement comment allaient vos affaires.

Il la serra davantage, et les seins de Gwen, déjà très sensibles, vinrent s'écraser contre la dure muraille de sa poitrine. Elle sentit le cœur de Travis battre aussi vite que le sien. Elle aurait dû garder ses distances, le repousser, mais elle ne put s'y contraindre. Pour la première fois depuis des mois, peut-être des années, elle se sentait revivre.

— Les affaires sont un peu ralenties en ce moment, dit-elle.

Puis elle dut s'éclaircir la gorge avant d'ajouter :

— Les skieurs sont partis, et la saison d'été n'a pas encore vraiment commencé.

Sans demander à Gwen son avis, Travis la serra plus fort, tout contre lui cette fois, et posa la joue contre la sienne.

— Alors, que faites-vous de vos journées ? demanda-t-il.

Gwen ferma les yeux, pour cacher la vague de passion qui déferlait en elle et la faisait trembler de désir. Et, à chacun de leurs mouvements, elle sentait contre elle toute la force du désir de Travis…

— Je fais du tissage, murmura-t-elle.

Les lèvres du cow-boy effleurèrent son oreille.

— J'adore la couverture que vous avez faite pour Lizzie, dit-il. Elle est si douce.

Oh, elle se consumait de désir comme jamais de sa vie elle ne l'avait fait ! Puis, de nouveau, comme dans un rêve, elle entendit la voix de velours de Travis :

— Dites oui, Gwen. Dites oui et laissez-moi vous aimer...

Elle sentit son cœur exploser dans sa poitrine, et n'entendit pas que la musique cessait. Mais Travis relâcha doucement son étreinte et plongea son regard brûlant jusqu'au fond de ses yeux. Ses mains, toujours posées sur la taille de Gwen, tremblaient de désir.

— Je vous en prie, dites oui, murmura-t-il. J'ai besoin de vous.

Gwen était bien incapable de répondre. Pourtant, elle brûlait de se soumettre à ce désir si évident, et qui semblait promettre d'assouvir tous ses fantasmes…

Mobilisant les derniers vestiges de raison qui subsistaient dans son cerveau enfiévré, elle fit « non » de la tête.

4.

Travis ne se fit pas une affaire personnelle du refus de Gwen. Avec l'expérience qu'il avait des femmes, il ne la crut pas, tout simplement. Contrairement à beaucoup d'hommes, il ne se laissait jamais prendre à ces non-qui-veulent-dire-oui, et, de la sorte, ne ratait jamais d'occasions. Il savait aussi reconnaître les « non » à prendre au pied de la lettre, si bien qu'il ne s'était jamais fait gifler non plus. Ses amis, lorsqu'ils avaient un peu bu, le suppliaient d'ouvrir une école pour y enseigner comment comprendre les femmes, quels que fussent les mots qui sortaient de leur bouche.

Son secret tenait en deux mots : langage corporel. Lorsqu'il avait fait sa proposition à Gwen, elle avait répondu par la négative en secouant la tête. Mais au moment même où elle répondait ainsi, elle avait rougi sur toute la surface visible de son corps brûlant. De plus, elle avait les pupilles dilatées, les lèvres entrouvertes, le souffle irrégulier, et elle se penchait tellement vers lui qu'elle courait le risque de basculer. Ou de tomber dans ses bras. Gwen elle-même pensait peut-être dire « non » par son signe de tête, mais tout le reste de son corps criait « oui » !

Cependant, ce n'était pas encore le moment de la toucher. Ni de contester sa décision.

— O.K., murmura-t-il. Je respecterai cela.

Les yeux de Gwen s'agrandirent. La déception se lisait sur son visage.

— Ah bon ? dit-elle.

— Bien sûr, répondit-il en se retenant de rire. Me prendriez-vous pour un mufle ? J'ai sorti le grand jeu et cela ne vous intéresse toujours pas. Je n'ai pas envie de me couvrir de ridicule.

Gwen se redressa et recula légèrement.

— Vous voulez dire que vous auriez été ridicule si vous aviez insisté ? demanda-t-elle en se passant la main sur l'estomac, comme pour se calmer. C'est une bonne chose que nous ayons définitivement réglé cette histoire, ajouta-t-elle.

Travis approuva de la tête, non sans remarquer que le pouls de la demoiselle d'honneur battait très vite dans la petite veine de son cou.

— Parfait, dit-il, j'aime que les choses soient claires.

La déception se lut de nouveau dans les yeux de Gwen, mais elle détourna le regard.

— Eh bien, maintenant, dit-elle, les choses sont claires.

Elle hésita un instant, lui lançant un rapide coup d'œil, avant d'ajouter :

— Je ferais mieux d'aller voir si Matty n'a pas besoin d'aide.

— Vous avez raison, approuva-t-il.

— Travis ! cria soudain une femme de l'autre côté de la tente. Je retiens la prochaine danse !

Travis se retourna, reconnaissant la voix de Donna.

— Tout à fait d'accord ! répondit-il.

Lorsqu'il se retourna, Gwen avait disparu.

Une heure plus tard, Gwen se joignit aux autres invités pour bombarder de grains de riz les nouveaux époux tandis qu'ils regagnaient les bâtiments d'habitation du ranch.

Elle avait eu tout à fait raison de résister à Travis, se dit-elle. La seule chose qu'elle regrettait, c'était qu'il eût si vite renoncé. Et il avait vraiment l'air d'avoir renoncé. Il venait de passer une heure à danser et à flirter avec ses nombreuses admiratrices, ce qui ne la dérangeait pas le moins du monde, se dit-elle, la mâchoire douloureuse à force de serrer les dents.

Gwen le regarda plaisanter avec Donna, à qui Travis semblait donner la préférence pour le moment. Tout de même, se dit-elle, il fallait bien reconnaître que les assiduités de Travis venaient de lui faire passer la soirée la plus excitante de sa vie. Car, d'ordinaire, la vie qu'elle menait n'avait rien de passionnant. Elle était même plutôt ennuyeuse. Mais Gwen ne voyait pas très bien comment allier stabilité et divertissement. Aussi avait-elle opté pour la stabilité.

Pour une fois qu'elle avait l'occasion de s'amuser un peu, se dit-elle encore, voilà qu'elle se dérobait ! Il y avait bien là de quoi se traiter de poule mouillée ! La vérité, pensa-t-elle, c'était qu'au fond d'elle-même, elle se sentait trop sage pour Travis. Il se serait sans doute très vite fatigué d'elle, et l'aurait quittée. Comme Dereck. Elle ne voulait pas courir ce risque.

Aurait-elle été capable de jouir sans arrière-pensées de ses attentions, puis de mettre fin à leur relation avant même qu'il y songe ? se demanda-t-elle. Dans ce cas, elle aurait pu accepter ses propositions. Mais c'était peu probable, car elle en avait été incapable avec Dereck, à qui elle était restée bien trop longtemps accrochée... Et, de toute façon, pensa-t-elle, Travis ne renouvellerait pas sa proposition, aussi était-il inutile, voire stupide, de retourner cent fois les mêmes pensées dans sa tête.

Lorsque Matty et Sebastian sortirent de la tente, avec Elisabeth emmitouflée dans une couverture, Gwen sortit les grains de riz du sachet qu'elle avait emporté avec elle, et les lança en l'air en souhaitant aux deux époux tous les bébés qu'ils désireraient avoir.

Elle serait Tatie Gwen pour eux, pensa-t-elle. Elle leur tisserait de bonnes couvertures, les garderait en l'absence de leurs parents, et leur confectionnerait des roulés à la cannelle. C'était peut-être préférable de gâter les enfants des autres, plutôt que d'avoir à supporter constamment les chamailleries de ses propres enfants, se dit-elle, sans y croire le moindre instant.

Une fois les deux époux et Elisabeth retirés dans les habitations du ranch, les invités commencèrent à partir. Gwen ne manqua pas de remarquer qu'à présent, en plus de Donna, Travis était entouré de plusieurs femmes qui espéraient sans doute qu'il emmènerait l'une d'entre elles chez lui. Mais, peu désireuse — ou redoutant - de savoir ce qu'il allait faire, Gwen retourna dans la tente pour aider les traiteurs à replier les nappes et pour s'assurer que personne n'avait rien oublié.

Lorsqu'elle entendit s'éloigner le camion des traiteurs, Gwen parcourut des yeux la tente silencieuse et déserte, puis soupira. Il ne lui restait plus qu'à éteindre les petites ampoules blanches et rentrer chez elle. La fête était finie, pensa-t-elle.

— Vous avez l'air fatiguée.

Gwen se retourna vivement. Travis s'approchait d'elle. La soirée particulièrement échevelée qu'il venait de vivre — il n'avait pratiquement pas raté une seule danse — lui donnait un air négligé qui ajoutait encore à son charme, tandis que les petites lumières blanches au-dessus de lui paraient son regard d'une lueur espiègle. Mais il avait promis de respecter ses désirs, pensa Gwen. Il n'était donc pas revenu pour essayer de nouveau de la séduire.

Pourtant, son cœur se mit à battre plus fort.

— Je croyais que tout le monde était parti, maintenant, dit-elle.

— Tout le monde, sauf moi, répliqua-t-il. J'ai pensé que je pourrais peut-être être utile à quelque chose.

— C'est gentil de votre part, mais il ne reste plus qu'à éteindre les lumières, dit-elle. La société de location passera demain reprendre la tente, les tables et les chaises, ajouta-t-elle en caressant les pétales de roses du bouquet qu'elle avait attrapé.

Travis hocha la tête et parcourut les lieux d'un coup d'œil circulaire.

— C'était très réussi, dit-il.

— Assurément, approuva-t-elle.

Mais déjà, la présence de Travis produisait son effet dévastateur sur elle. Elle commençait à trembler...

— Ecoutez, je dois partir, maintenant, dit-elle en serrant très fort son bouquet.

— Ouais, moi aussi. Alors, c'est fini ? Vous êtes sûre de n'avoir rien oublié ?

Elle ne s'était pas rendu compte qu'il s'était approché d'elle, et distingua soudain les paillettes d'or de ses yeux brûlants. Son cœur se mit à battre très, très fort.

— Non, il n'y a rien d'autre. Ce sont de vrais professionnels.

— Pour sûr. Mais j'ai tout de même l'impression que nous avons oublié quelque chose, dit-il, tandis que sa bouche si séduisante s'éclairait d'un sourire.

Cette bouche qui semblait si experte… Gwen voulut savoir comment elle embrassait. Et Travis le comprit, Gwen en était certaine. A cet instant même, il savait qu'elle essayait d'imaginer le goût de ses lèvres… Il posa le regard sur le bouquet. Elle le tenait comme s'il pouvait lui servir de bouclier, pensa-t-il. Il caressa un bouton de rose, dont il libéra les pétales de ses doigts habiles. Puis il en cueillit un, qu'il promena lentement sur la lèvre inférieure de la jeune femme.

De nouveau, elle se sentit prise de vertige.

— Allez-vous-en, Travis, dit-elle d'une voix faible.

— J'en suis incapable, Gwen, dit-il en lui prenant le menton, je viens de me souvenir ce que nous avons oublié !

« Je peux encore m'échapper ! » pensa-t-elle, affolée, en sentant sur son visage le souffle, à la fois doux et brûlant, de Travis. Il était encore temps de se sauver. Il lui suffirait de se dégager et de s'enfuir…

Trop tard… Beaucoup trop tard ! Beaucoup trop délicieux. La bouche d'un ange… et la langue d'un démon ! Oh, *oui* !

Plus tard, elle regretterait peut-être cet instant, mais quelle femme pourrait craindre des regrets tout en se faisant embrasser de cette manière ? Il avait le goût sauvage et entêtant du désir. Il savait ce qu'il faisait… Et comment ! Tout le monde a des dons particuliers, se dit-elle… et elle venait de découvrir ceux de Travis ! Elle lui passa les bras autour du cou et le serra très fort — deux corps brûlants l'un contre l'autre — tandis qu'il accomplissait des merveilles avec sa bouche… et la sienne.

Son baiser envoyait des messages à la poitrine palpitante de Gwen, et à bien d'autres parties de son corps… Elle se sentit prête, à la fois tendue et comme dissoute. Elle avait abandonné toute idée de résistance. Seul subsistait dans son esprit le désir ardent de se soumettre…

Il s'écarta très légèrement de ses lèvres.

— Venez chez moi, dit-il.

Oui. Elle inspira profondément, afin d'être à même de donner une réponse — la seule réponse possible depuis qu'il l'avait embrassée si profondément, depuis que son corps frissonnait de désir…

— Hé, il y a encore quelqu'un ?

Sebastian entra dans la tente et, aussitôt, Travis relâcha son étreinte.

Gwen sentit ses joues s'embraser. Serrant très fort son bouquet pour dissimuler le tremblement de ses mains, elle recula d'un pas, comme pour s'éloigner de Travis.

— Oh ! Désolé ! dit Sebastian en reculant, lui aussi. Nous avons vu que la lumière restait allumée et Matty m'a demandé d'aller voir si c'était normal.

Travis s'éclaircit la gorge.

— Nous… nous veillerons à éteindre les lumières quand nous partirons, dit-il. Je ne pensais pas que vous vous amuseriez à regarder par la fenêtre le soir de vos noces, ajouta-t-il.

Cette réflexion ramena Gwen à la réalité. Tandis que Matty et Sebastian passaient leur nuit de noces, Travis ne lui proposait qu'une liaison, se dit-elle. Pour elle, ce n'était pas suffisant.

— Elisabeth s'est réveillée et s'est mise à pleurer, dit Sebastian comme pour s'excuser. Mais je vais rentrer. Travis, je te verrai au ranch demain vers 11 heures.

— J'y serai.

Gwen inspira profondément.

— Moi aussi, je vais rentrer, dit-elle. Sebastian, pourriez-vous m'accompagner jusqu'à ma voiture ? demanda-t-elle en se dirigeant vers la sortie d'un pas décidé.

— Pour sûr, répondit Sebastian, mais…

— Je suis certaine que Travis saura éteindre les lumières tout seul, assura Gwen.

— Evidemment, dit Travis, mais j'espérais…

— La soirée a été longue, interrompit Gwen en se retournant à moitié. Bonne nuit, Travis, ajouta-t-elle en s'efforçant d'ignorer l'aiguillon de son désir.

— Bonne nuit, Gwen, répondit-il en lui lançant un regard qui aurait fait fondre une statue de pierre.

Si Sebastian n'avait pas été là, se dit-elle, elle aurait sans doute complètement oublié ses principes et se serait donnée à Travis. Mais Sebastian, qui allait entamer sa nuit de noces, lui avait rappelé ce qu'elle attendait d'un homme : qu'il soit séduisant, certes, mais aussi qu'il s'engage pour la vie. Travis, lui, n'était que séduisant.

Le lendemain soir, Travis, flanqué de Fleafarm, le chien bâtard de Sebastian, et de Sadie, le grand Danois de Matty, se laissa tomber dans le vieux rocking-chair de bois de pin. Travis n'avait jamais passé de journée aussi épuisante — même pas une journée de marquage des bêtes au fer rouge. Lizzie lui avait donné un travail de Romain.

Les bébés étaient des diablotins fatigants, mais ils avaient leurs bons côtés, se dit-il. Lizzie était aussi un diablotin intelligent : en un rien de temps, il lui avait appris à écraser une grosse framboise. Evidemment, cela n'avait guère facilité les choses lorsqu'il s'était agi de lui faire manger ses céréales, mais ils s'étaient bien amusés. Elle lui avait peint le visage avec de la bouillie de céréale, jusqu'à le faire ressembler à un mort-vivant de film d'horreur de seconde catégorie.

Ensuite, il avait fallu la baigner, la laisser jouer un moment avec le kit de gymnastique pour bébés qu'il lui avait acheté la semaine précédente, puis la faire boire, lui changer de nouveau les couches, la mettre au lit… et attendre qu'elle s'endorme.

Et maintenant, Travis se demandait s'il lui resterait encore assez d'énergie pour se faire un sandwich… Peut-être valait-il mieux renoncer et se coucher, se dit-il. Tandis qu'il hésitait, ses pensées se tournèrent irrésistiblement vers Gwen. Il n'avait même pas eu le temps de lui passer un coup de fil à Hawthorne House. Pendant la sieste de Lizzie, il avait dû programmer le lavage et le séchage de son linge, s'occuper des chevaux, nourrir les chiens… puis nourrir Lizzie, qui venait déjà de se réveiller. Il risquait fort d'être moins libre que prévu cette semaine, pensa-t-il.

Plus il tarderait à revoir Gwen, pensa-t-il encore, plus cette dernière risquait de redevenir froide et distante à son égard, alors que la veille, elle avait vraiment été sur le point de lui céder. Par contre, lui-même n'avait presque rien perdu de la passion qui l'animait alors. Malheureusement, ce n'était pas ce soir-là que son désir risquait d'être satisfait…

Maudit Sebastian ! pensa-t-il. Et dire qu'il n'avait même pas pu lui signifier ce qu'il pensait de son intervention inopportune, sous prétexte qu'on ne cherche pas querelle à un homme le jour de son mariage ! De plus, Travis n'avait peut-être pas été interrompu par hasard… En effet, Matty ne voulait pas qu'il ait une aventure avec Gwen. Si elle avait remarqué que leurs deux voitures étaient toujours sur le parking, elle avait peut-être demandé à Sebastian d'aller voir ce qui se passait entre eux.

Travis soupira. Ce baiser avait été encore plus délicieux qu'il ne l'avait espéré. Il lui avait rappelé la première fois qu'il avait embrassé une jeune fille, lorsqu'il avait découvert, fasciné, le plaisir d'explorer sans fin une bouche féminine. Plus tard, il s'était intéressé à d'autres secteurs de l'anatomie des femmes, et, petit à petit, avait commis l'erreur de reléguer le baiser au rang de simple prélude à d'autres activités plus intéressantes.

Mais embrasser Gwen pourrait facilement être considéré comme une fin en soi, se dit-il. En tout cas, comme quelque chose pouvant durer très, très longtemps. Sa bouche était si douce qu'il avait envie de la goûter sans fin, et si accueillante qu'il aurait voulu l'occuper tout entière. Elle donnait un avant-goût extrêmement prometteur des délices qui l'attendaient s'il parvenait à coucher avec elle, pensa-t-il.

A cette évocation, il se sentit soudain à l'étroit du côté de la fourche de son pantalon. Il n'était peut-être pas aussi épuisé qu'il l'avait cru, se dit-il. S'il voulait dormir cette nuit, il ferait mieux de penser à autre chose qu'à mettre Gwen dans son lit… Il se demanda si elle aussi se sentait frustrée. Peut-être, se dit-il, mais, dans ce cas, elle ne voudrait sans doute pas l'avouer franchement en venant le rejoindre, même s'il lui passait un coup de téléphone et le lui demandait.

Tout de même, c'était une idée à considérer. Il pourrait lui demander de l'aider à s'occuper de Lizzie. A la réflexion, se dit-il, ce serait un mensonge trop évident : elle verrait bien qu'il pouvait parfaitement s'occuper du bébé tout seul.

Il pourrait lui dire qu'il ne cessait de penser à elle, et ne pouvait s'en empêcher. Ce serait d'ailleurs l'exacte vérité. Et comme il ne pouvait bouger à cause de Lizzie, la jeune femme le prendrait peut-être en pitié et envisagerait de…

Quand la sonnerie du téléphone résonna dans la maison silencieuse, il en fut tétanisé. Les chiens bondirent également, et tous trois se précipitèrent dans la cuisine. Espérant que ses prières avaient été entendues, Travis s'empara du portable de maison.

— Allô ? dit-il d'une voix impatiente.

— Qui est à l'appareil ? demanda une voix féminine.

Une voix féminine, certes, mais pas celle de Gwen.

— Dites-moi d'abord qui vous êtes, répliqua Travis.

— Jessica.

Il aurait dû s'en douter, pensa-t-il. Sebastian l'avait prévenu qu'elle appelait souvent le soir.

— Jessica, c'est Travis, dit-il en gagnant le bureau de Sebastian, équipé pour détecter l'origine des coups de téléphone. Ecoute, ajouta-t-il, tu dois revenir, quelle que soit la menace qui…

— Je ne peux pas vivre auprès d'Elisabeth. Ce serait dangereux pour elle. Est-ce qu'elle va bien ?

— Elle va très bien. Mais j'ai le droit de savoir si je suis son…

Click.

Travis retourna dans le salon en maugréant. Même s'il avait enclenché plus tôt le dispositif, il n'aurait pas eu le temps de savoir d'où provenait l'appel, se dit-il comme pour se consoler. De toute façon, il n'aurait guère pu se mettre à la recherche de Jessica tout en continuant à garder Elisabeth. Elle se trouvait peut-être à des centaines de kilomètres de là. Et puis, juste après son coup de téléphone, elle se préparait déjà sans doute à quitter le secteur, se dit-il encore. C'est ce qu'il aurait fait à sa place.

En remettant le portable à sa place, dans la cuisine, il jeta un coup d'œil sur le tableau d'affichage que Matty avait accroché juste au-dessus. Depuis quelques semaines, celle-ci avait apporté à la demeure de Sebastian de nombreux petits changements de ce genre. Elle avait installé son métier à tisser, par exemple, dans un coin du salon, et disposé l'une de ses toiles favorites - représentant une jument et son poulain — au-dessus de la cheminée.

Avant de partir ce matin en voyage de noces, Matty avait attiré l'attention de Travis au moins quatre fois sur les numéros de téléphone figurant sur le tableau d'affichage. Celui du Dr Harrison était en tête de liste, et en rouge, s'il vous plaît. Le vétérinaire arrivait en deuxième position. Puis les membres des familles de Matty et de Sebastian. Enfin, il y avait celui de Gwen.

Travis considéra longuement ce dernier numéro. Après tout, se dit-il, il avait des nouvelles à communiquer à Gwen, puisque Jessica venait d'appeler. Fébrilement, il appuya sur les touches, avant de songer à regarder l'heure — trop tard. Il venait de la déranger à une heure indue.

— Hawthorne House, dit-elle d'une voix très éveillée.

— C'est Travis, répondit-il, en se demandant si elle ne dormait pas parce qu'elle se trouvait, elle aussi, frustrée et à cran. Ce serait un bon point pour lui.

— La petite va bien ? demanda-t-elle vivement.

— Elle va parfaitement bien. Mais Jessica vient d'appeler.

— Ah bon ? dit Gwen, pleine de curiosité. A-t-elle dit quelque chose de nouveau ?

— Seulement qu'elle mettrait sa fille en danger si elle se trouvait près d'elle, répondit Travis. Mais nous nous en doutions déjà…

— Alors elle n'a pas dit…

— Qui était le père de Lizzie ? J'ai peur que non. En fait, cela n'a aucune importance. Je sais que c'est moi.

— Vous en êtes bien fier, à ce qu'on dirait.

Travis s'accorda quelques instants de réflexion.

— Je crois que oui, dit-il, quelque peu surpris par ses propres sentiments. Je reconnais que cela n'aurait pas dû arriver, mais, maintenant que Lizzie est là, je n'ai aucun regret. Je passerai le plus de temps possible avec elle jusqu'à ce qu'elle soit grande.

— Je rêve ! s'exclama Gwen. Travis Evans s'engage auprès d'une femme !

Ce trait cinglant laissa penser à Travis qu'il n'avait guère de chance de la faire venir dès ce soir...

— Mais je n'arrête pas de m'engager auprès des femmes ! protesta-t-il.

— Je n'en doute pas !

— Lorsque j'ai une liaison, il n'y a pas d'autre femme dans ma vie pendant toute sa durée, dit-il. Je m'y engage !

— Pardonnez-moi si tant de vertu me laisse sans voix !

C'était inutile de parler, se dit-il. Surtout au téléphone. Tous les deux, ils avaient besoin d'action.

— Tout le monde n'est pas fait pour le mariage, dit-il. Au moins, je le reconnais honnêtement.

— Alors, je vais être tout aussi honnête avec vous, répliqua-t-elle : allez donc voir ailleurs !

Mais Travis avait décidé une fois pour toutes que les impertinences de Gwen ne servaient qu'à la protéger des forts penchants qu'elle éprouvait pour lui.

— Dans ce cas, dit-il, je suppose qu'il n'est pas dans vos intentions de venir me tenir compagnie ce soir.

— Vous délirez !

— Vous avez raison, je vais passer une deuxième nuit de suite à délirer. La nuit dernière, vous étiez le personnage principal de tous mes délires.

— Comme c'est curieux ! Moi, je n'ai pas rêvé une seconde ! riposta-t-elle d'un ton vertueux.

Travis commençait à aimer l'attitude hautaine de Gwen. Sa capitulation n'en serait que plus douce pour lui.

— Evidemment, puisque vous n'avez pas dormi ! dit-il vivement. Vous avez passé la nuit à regretter mon absence à vos côtés !

— Travis, votre ego est gigantesque !

— C'est exact, répondit-il en souriant, mais les femmes me disent qu'il correspond parfaitement à ma réelle personnalité !

— Je vais raccrocher.

— Parfait. Raccrochez et venez me voir. Vous paraissez tendue. Vous avez besoin d'un massage. Je n'utilise que le plat de la main pour les gros muscles, mais ma spécialité, ce sont les tout petits…

Click. Elle avait raccroché. Il y avait vraiment peu de chances pour qu'elle vienne le voir ce soir au Rocking D, pensa Travis. Il lui faudrait donc aller chez elle… Mais, avec le peu de temps que lui laissait Lizzie, cela s'annonçait plus difficile qu'il ne l'avait cru.

5.

Gwen ôta le torchon recouvrant le récipient qu'elle avait laissé sur le comptoir de sa cuisine. Puis elle plongea le poing dans la pâte levée. C'était la plus grande satisfaction que lui avait apportée la journée.

Vêtue de son sweat-shirt d'intérieur favori, confortable mais très usagé, les cheveux négligemment noués sur le sommet du crâne, elle se consolait en confectionnant ses fameux rouleaux à la cannelle.

Car, cet après-midi-là, elle avait vraiment besoin de réconfort. Après son coup de téléphone provocant de l'avant-veille, Travis ne s'était plus manifesté. Mais il n'en était pas moins constamment présent dans la tête de la jeune femme !

Pour ne rien arranger, sa mère venait de lui envoyer un e-mail des environs du Caire, où elle participait à des fouilles. Elle suppliait sa fille de cesser de « jouer à la maîtresse de maison », et de reprendre ses études. Gwen était le seul membre de la famille sans diplôme universitaire ni métier intellectuel. Depuis des années, sa mère en était fort dépitée.

Gwen saupoudra de farine la planche à découper, prit la pâte à pleines mains, et se mit à la pétrir avec vigueur. Cela, elle savait bien le faire, se dit-elle. Même si cela ne nécessitait pas une prodigieuse expertise scientifique, elle aimait confectionner ces rouleaux que ses hôtes adoraient.

Sa mère savait peut-être reconnaître un objet d'art colombien à un kilomètre de distance, mais, lorsqu'elle s'était mis dans la tête de confectionner les mêmes gâteaux que sa fille, sa pâte n'avait pas levé et ses rouleaux à la cannelle s'étaient retrouvés aussi durs que des ballons de rugby. Elle avait alors décrété qu'elle n'aurait pas dû perdre son temps à de telles frivolités. De toute façon, les gens consommaient déjà trop de ce genre de choses, avait—elle assuré, ajoutant d'un air moqueur que Gwen était revenue deux cents ans en arrière, à l'époque où les femmes ne pouvaient exceller que dans les travaux domestiques. Ce dénigrement insidieux avait peut-être permis à sa mère de sauver la face, mais n'avait rien fait pour renforcer l'estime que Gwen se portait à elle-même.

Sans doute l'e-mail de sa mère l'attristait-il surtout parce qu'elle avait des insomnies, se dit-elle. Et si elle avait des insomnies, pensa-t-elle encore, c'était parce qu'elle n'avait plus assez de travail depuis le mariage de Matty et Sebastian : elle n'attendait personne avant le week-end dans son *bed and breakfast*. De plus, elle n'osait pas planter ses semis tant qu'il risquait encore de geler. Et, curieusement, depuis deux jours, le tissage ne suffisait plus à la calmer. Ce dont elle avait vraiment besoin, pensa-t-elle, c'était une grande dépense d'énergie, comme lorsqu'elle nettoyait la maison après le départ de ses hôtes, cultivait ses légumes, ou… ou faisait l'amour.

En tout cas, se dit-elle, *cela* ne risquait pas de se produire. Elle ferait mieux de se contenter de pétrir sa pâte, ce qui avait d'ailleurs un côté sensuel, admit-elle en enfonçant le plat de la main dans cette matière douce et accueillante. Travis ne lui avait-il pas dit au téléphone qu'il se servait du plat de la main pour masser les gros muscles, et des doigts pour les petits ? se rappela-t-elle.

Ainsi, son esprit avait beau essayer de chasser son souvenir, il revenait encore et toujours à Travis. Le mouvement du rouleau à pâtisserie sur la pâte lui rappela comment il lui avait caressé le dos, tandis qu'ils dansaient. Et lorsqu'elle tartina sa pâte de beurre, elle se souvint de la douceur de son baiser. Elle n'avait jamais remarqué à quel point le beurre était une substance érotique, se dit-elle en imaginant qu'elle en était entièrement enduite et que quelqu'un lui léchait tout le corps.

Quelqu'un de très précis.

Le parfum de sucre et de cannelle lui rappela l'après-rasage de Travis. Elle saupoudra la pâte beurrée de raisins secs et la roula en un cylindre — un cylindre qui s'ajustait parfaitement à sa main, car il avait la même épaisseur et le même poids que…

Gwen soupira. « Mon Dieu ! Je suis vraiment incorrigible ! » se dit-elle. Puis, avec détermination, elle se mit à découper le cylindre en plusieurs sections. Le Destin avait été bien cruel avec elle, se dit-elle. Il lui avait donné le don de faire de sa maison un foyer chaleureux, mais il l'avait aussi dotée d'un penchant pour des hommes frivoles qui n'avaient nullement l'intention de se mettre en ménage. Elle croyait que Dereck l'avait définitivement guérie des clins d'œil entendus et des sourires enjôleurs. Ayant tant souffert du comportement de son mari envers les autres femmes, pourquoi donc ne s'enfuyait-elle pas chaque fois qu'un homme essayait sur elle de tels pouvoirs de séduction ? se reprocha-t-elle. Et pourtant, la voilà qui soupirait de nouveau pour un gredin de la même espèce, comme si son mariage malheureux ne lui avait rien appris.

Travis ne saurait jamais qu'elle avait bien failli le rejoindre au Rocking D. juste après son appel. Et heureusement qu'elle n'en avait rien fait, se dit-elle, car, depuis deux jours, le silence de Travis prouvait bien qu'elle ne l'intéressait déjà plus. Sans doute n'avait-il pas de temps à perdre avec quelqu'un qui ne tombait pas immédiatement dans ses filets, pensa-t-elle. Peut-être avait-il téléphoné aussitôt à Donna, qui avait dû arriver au ranch avant que Travis ait eu le temps de raccrocher.

On sonna à la porte au moment où elle mettait les rouleaux au four. Pensant qu'il ne pouvait s'agir que du facteur ou d'un courtier faisant du porte-à-porte, elle prit tout son temps pour se rincer les mains avant d'aller ouvrir. La fenêtre ovale en vitrail ne laissait entrevoir qu'une silhouette indistincte, mais Gwen reconnut immédiatement Travis et le bébé. Son cœur s'emballa.

Elle s'arrêta un instant et prit une profonde inspiration. Elle devait ouvrir la porte avec calme, se dit-elle. Car, si Travis en venait à soupçonner qu'elle ne cessait de penser à lui depuis deux jours, elle n'aurait plus aucune chance de contrôler la situation. Il se servait évidemment de Lizzie comme d'un stratagème pour amoindrir sa résistance, pensa-t-elle encore. Il était sans doute loin de se douter qu'il n'avait nullement besoin du bébé pour la rendre aussi soumise que la pâte qu'elle venait de pétrir.

Cependant, elle se rappela qu'il n'avait même pas tenté de la contacter depuis deux jours, et se redressa. Pour l'instant, il ne l'avait pas encore privée de sa fierté, pensa-t-elle. Mais, dès qu'elle ouvrit la porte, elle fut prise de compassion et en oublia toutes ses résolutions. Malgré le printemps, la bise était glaciale, et le bébé que Travis tenait dans ses bras paraissait très agité. Il était enveloppé dans une couverture.

— Lizzie a pris froid, dit-il. Si vous ne voulez pas vous exposer à ses microbes, je comprendrai, mais…

— Entrez ! Et donnez-moi cette pauvre petite, dit Gwen en tendant les bras.

Si la jeune femme lui avait offert un million de dollars, il n'aurait pas eu l'air plus heureux.

— Merci mille fois, Gwen. Vous n'avez pas idée du plaisir que vous me faites, dit-il en déposant Lizzie dans ses bras. Le Dr Harrison dit qu'il n'y a pas de quoi s'inquiéter, et j'ai eu tous les médicaments chez Coogan, mais cela ne m'empêche pas d'être malade d'inquiétude.

— Pauvre Elisabeth ! dit Gwen avec tendresse.

Elle enleva sa couverture et contempla son petit nez tout rouge et ses yeux sans éclat — des yeux d'ordinaire si brillants…

— Je parie qu'elle a attrapé quelque chose au mariage, ajouta-t-elle.

— C'est ce que dit le docteur, répondit Travis en fermant la porte. Il m'a assuré que ce n'était rien, que les bébés s'enrhumaient sans arrêt, mais je déteste cela !

— Cela ne m'étonne pas ! Pauvre trésor ! dit Gwen en essuyant le petit nez avec un mouchoir en papier.

Puis ils entrèrent dans la cuisine. Travis avait l'air adorablement peu sûr de lui — et tellement sexy —, pensa-t-elle. Il portait son jean délavé avec le même bonheur que son smoking… Pourtant, il ne semblait nullement songer à lui faire du charme, pensa-t-elle. Visiblement, la seule chose qui le préoccupait, c'était l'état de santé de Lizzie.

— A votre avis, devrions-nous appeler Matty et Sebastian ? demanda-t-il en soulevant son Stetson et en se passant nerveusement la main dans les cheveux. Le docteur dit que ce n'est pas la peine, ajouta-t-il, mais je me dis que peut-être...

— Il ne vaut mieux pas, trancha Gwen. Nous les inquiéterions inutilement, et, de toute façon, la petite sera sûrement presque guérie avant qu'ils n'aient eu le temps de rentrer au Rocking D.

Elle berça Elisabeth, qui commençait à pleurnicher, et la moucha de nouveau.

— Pauvre chérie, dit-elle, ce n'est pas drôle d'avoir le nez qui coule, n'est-ce pas ?

— Pour sûr, approuva Travis. Ses couches et son biberon sont dans le pick-up, mais c'est difficile de la faire boire quand elle a le nez encombré. J'ai acheté de la vaseline et un humidificateur. Ainsi qu'un petit dinosaure.

— Un petit dinosaure ? s'étonna Gwen.

— Vous savez, ce dinosaure qu'on voit à la télé. Les enfants en raffolent.

— Je sais cela, répliqua-t-elle en continuant à bercer Elisabeth. Des enfants viennent quelquefois séjourner à Hawthorne House. Mais en quoi pourrait-il soigner le rhume de Lizzie ?

— Les malades ont besoin de cadeaux. Comme cela, ils savent que l'on pense à eux et qu'on essaye de les consoler. Tout le monde sait cela, dit-il d'un ton soudain beaucoup plus assuré.

— Oh, bien sûr ! approuva Gwen en se retenant de sourire.

— Vous êtes sûre qu'on ne devrait pas appeler Matty et Sebastian ? insista Travis, tandis qu'Elisabeth continuait de gémir. Ils ont appelé hier soir, ajouta-t-il, et je leur ai dit que tout allait bien. Et puis, ce matin, Lizzie avait le nez complètement pris. Ils auraient peut-être aimé le savoir.

Gwen se souvint de l'excitation de Matty tandis qu'elle préparait sa semaine de lune de miel dans un des plus beaux hôtels de la grande ville. Toutes deux avaient passé des journées entières dans les magasins à la recherche de robes moulantes pour leurs sorties, et de tenues d'intérieur déshabillées pour leurs moments intimes. Matty n'avait jamais connu un tel luxe.

— Franchement, je n'ai pas envie de les en informer, répondit Gwen. Puisque le Dr Harrison dit qu'il n'y a aucun danger, ce serait dommage de gâcher un moment si important pour eux. Ils risqueraient même de se croire obligés de rentrer au ranch. Et je ne crois vraiment pas que cela hâterait la guérison d'Elisabeth. Il faut laisser la maladie suivre son cours, c'est tout.

— Et s'il y avait une complication ? Le docteur n'a pas exclu cette possibilité.

— Dans ce cas, je suppose que vous pourriez les appeler. De toute façon, à présent, ce serait prématuré.

Travis fourra ses mains dans ses poches revolver et poussa un profond soupir.

— D'accord, dit-il. Je peux accepter cela. Mais j'ai peur de la ramener au ranch, et de me retrouver seul avec elle. Parce que, si son état empirait, il me faudrait au moins vingt minutes pour l'emmener en ville, et...

— Vous voulez me la confier jusqu'à ce qu'elle soit rétablie, n'est-ce pas ?

Gwen se rendit compte que cela ne la dérangerait pas le moins du monde. En fait, elle était heureuse de cette occasion de s'occuper d'Elisabeth, même si cette dernière avait un rhume. Depuis des années qu'elle gérait son *bed and breakfast*, elle avait accueilli un certain nombre de bébés malades, et, à l'évidence, la perspective de soigner le rhume d'Elisabeth était loin de l'inquiéter autant que Travis.

— Pas exactement, répondit Travis en la regardant au fond des yeux. Cela va sûrement vous paraître bizarre, mais je vous jure que je n'ai aucune arrière-pensée. Je suis pris entre deux feux, tout simplement. D'un côté, j'ai peur de me retrouver seul avec Lizzie au Rocking D., si loin de la ville et du Dr Harrison. Mais, de l'autre côté, je serais incapable de la laisser chez vous toute la nuit. Si son mal empire, je veux être auprès d'elle.

Gwen frissonna. Jamais il ne l'avait regardée de cette manière. Ses yeux d'or ne lançaient pas d'éclairs de désir, et son regard ne tentait pas de dissimuler ses intentions, habituellement évidentes. Il était donc impossible de mettre en doute sa sincérité et l'inquiétude profonde qu'il éprouvait pour Lizzie, pensa-t-elle. Et pourtant… Comment pourrait-elle donc l'inviter à passer la nuit chez elle ? Et comment pourrait-elle *ne pas* l'inviter ?

— Je ne vous en voudrais pas si vous refusiez de m'accueillir chez vous, dit Travis. Mais je ne vois vraiment pas comment faire autrement.

— Vous pourriez l'emmener chez Donna, suggéra Gwen d'un ton calme. C'est la maîtresse du jardin d'enfants, après tout.

Travis secoua la tête.

— Donna ne connaît pas Lizzie aussi bien que vous. La première fois qu'elle l'a vue, c'était au mariage. Et, pour être tout à fait franc, Matty n'aime pas Donna. Elle la trouve trop autoritaire et arrogante. Non, Matty s'attend à ce que je sollicite votre aide, pas celle de Donna. Pour elle, vous faites pratiquement partie de la famille.

Gwen essuya de nouveau le nez d'Elisabeth et l'embrassa sur le front. C'était vrai qu'elle se sentait apparentée à ce petit bout de chou, pensa-t-elle. Et ce n'était sans doute pas très sage, se dit-elle encore, puisque le bébé ne lui appartiendrait jamais…

— Cela me fait plaisir, ce que vous dites, reconnut Gwen.

— Vous ne me croirez peut-être pas, poursuivit Travis, mais je vous promets de me conduire correctement. Tout ce qui m'intéresse, c'est la santé de Lizzie. C'est pourquoi je veux rester à proximité du Dr Harrison.

Gwen le regarda dans les yeux. Il n'avait plus ce regard désinvolte qui, par le passé, faisait battre son cœur. Et pourtant, elle ne s'était jamais sentie aussi émue qu'à cet instant, alors qu'elle ne lisait qu'inquiétude dans le regard du cow-boy. Cette inquiétude pour un bébé qu'il pensait être le sien semblait même lui faire entièrement oublier ses besoins sexuels. Peut-être l'avait-elle un peu trop hâtivement catalogué comme superficiel, pensa-t-elle.

— Vous pouvez rester tous les deux, dit-elle en croisant les doigts mentalement. C'est sans doute le mieux pour Elisabeth, ajouta-t-elle en espérant avoir assez de force pour s'en tirer sans dommage.

— Je ne sais vraiment pas ce que j'aurais fait si vous aviez refusé, dit Travis, visiblement soulagé.

— C'est pour Lizzie que je fais cela, dit vivement Gwen. Et aussi pour Matty et Sebastian.

Un pâle sourire se dessina sur le visage séduisant de Travis.

— Oh, je n'en doute pas, dit-il. Sans Lizzie, je n'aurais sans doute jamais pu franchir cette porte.

— En effet, répondit Gwen, soucieuse de ne pas lui laisser entendre le contraire. Mais c'est peut-être le moment d'aller chercher les couches et tout ce que vous avez acheté pour elle.

— Ouais.

Au moment de sortir de la cuisine, il s'arrêta net.

— J'espère que vous avez un lit d'enfant, dit-il d'un air inquiet. Vous dites que des enfants séjournent quelquefois ici.

— J'en ai un. Et moi, j'espère que vous n'avez pas oublié vos travaux du ranch.

— Mon Dieu, vous avez raison ! s'écria-t-il, stupéfait. J'ai oublié de m'occuper des chevaux et des chiens. C'est la première fois que cela m'arrive ! Je... je vous serais reconnaissant de ne pas en informer Matty et Sebastian...

— Vous avez pris le rhume de Lizzie trop à cœur, dit Gwen, mais je suis sûre que Matty et Sebastian ne vous en voudraient pas d'avoir donné la priorité absolue à Elisabeth.

Gwen se sentait très touchée de voir le cow-boy si préoccupé par l'état de santé d'un petit bébé. Pour elle, il ne faisait aucun doute qu'il n'avait pas d'arrière-pensées en demandant à passer la nuit chez elle.

— Si vous êtes d'accord, j'apporte les affaires de Lizzie, puis je fais un petit tour au ranch pour m'occuper des animaux, et prendre une brosse à dents et un rasoir. Au retour, je passerai chez Len pour lui demander de les nourrir demain matin.

— Parfait.

Une brosse à dents et un rasoir. Tout à coup, ces simples mots rendaient la présence de Travis beaucoup plus réelle, et elle frissonna de nouveau.

— Merci, Gwen. Ce que vous faites pour moi me touche plus que je ne saurais le dire.

Il regarda autour de lui, comme si c'était la première fois qu'il voyait la maison.

— C'est vraiment joli, ici, dit-il.

— Oui. J'adore cette maison.

— Et cela sent très bon.

— Mon Dieu ! Mes rouleaux à la cannelle !

Jamais de sa vie elle n'avait oublié quelque chose dans le four, si bien qu'elle n'utilisait pas le minuteur. Elle se hâta de remettre le bébé dans les bras de Travis, puis se précipita vers le four.

Les rouleaux étaient dorés à point, et semblaient déborder de sucre caramélisé et de raisins secs. Elle les posa sur le comptoir pour les faire refroidir.

— Vous les avez faits pour une raison particulière ? demanda Travis en lui tendant de nouveau la petite.

— Non. J'ai eu seulement envie de les faire, voilà tout, dit-elle en calant Elisabeth contre son épaule et en lui tapotant doucement le dos.

— Vous allez les enrober de sucre de glace ? demanda-t-il.

— C'est ce que je fais toujours.

Gwen ne put s'empêcher de sourire en voyant les coups d'œil gourmands qu'il lançait en direction des rouleaux.

— Vous pourrez en prendre, si vous en avez envie, dit-elle.

Travis eut un large sourire.

— Je pense bien, que j'en ai envie. Lorsqu'un type se comporte en gentleman, il a bien droit à une petite consolation !

Sans laisser à la jeune femme le temps de répondre, il sortit de la cuisine et gagna son pick-up. Il n'avait peut-être pas tout à fait oublié ses besoins sexuels, après tout, se dit Gwen.

Lorsque Travis s'approcha de nouveau de Hawthorne House, il avait eu le temps de se calmer un peu. Il était passé des dizaines de fois devant cette grande maison victorienne à étage, mais il ne lui avait jamais accordé beaucoup d'attention. Jusque-là, il trouvait Gwen orgueilleuse et inaccessible, et s'imaginait que sa maison reflétait la psychologie de sa propriétaire.

Et voici que toutes deux venaient de lui rendre un fameux service…

A présent, il trouvait que cette maison était la plus jolie du quartier. Peut-être parce qu'elle était située à proximité du cabinet médical du Dr Harrison, et parce que Gwen lui permettait d'y passer la nuit en compagnie de Lizzie. En tout cas, ce soir-là, le vert des boiseries et les fausses charpentes couleur d'orange et de gingembre lui semblaient d'un goût parfait. Car, dans une semaine ou deux, se dit-il, les jonquilles seraient en fleur dans le jardin d'agrément, et se marieraient parfaitement avec le jaune de la balustrade et des avant-toits. Deux épicéas, sans doute aussi vieux que la maison elle-même, se tenaient de chaque côté de l'allée.

Ayant ainsi promené un regard connaisseur sur la maison et le jardin, Travis se dirigea vers la véranda. Celle-ci était confortablement aménagée et, surtout, il y flottait encore un délicieux parfum de cannelle. Il sonna, et Gwen ouvrit presque aussitôt.

Elle était seule. Lizzie n'était pas dans ses bras.

— Où est-elle ? s'écria Travis en entrant précipitamment.

— J'ai réussi à l'endormir. Je ne sais pas si cela va durer longtemps, mais pour l'instant…

— Je veux la voir ! cria Travis. Je veux m'assurer qu'elle respire !

— Si vous la réveillez, je vous étrangle ! Je dû la bercer longuement avant qu'elle ne s'endorme.

— Je ne la réveillerai pas. Où est-elle ?

— A l'étage.

Sans même poser son sac de couchage, dans lequel il avait enroulé ses affaires pour la nuit, Travis se précipita vers l'escalier, juste après le vestibule. Mais Gwen le retint par le bras.

— Attendez un peu ! Vous faites autant de bruit qu'un troupeau de buffles. Ôtez donc vos bottes !

— Et c'est vous qui me dites de ne pas crier ! riposta-t-il en posant son sac de couchage.

Il se débarrassa vivement de ses bottes et gravit l'escalier quatre à quatre. Puis, se rendant compte qu'il ne savait pas dans quelle pièce se trouvait l'enfant, il fit demi-tour, heurta Gwen qui le suivait de près, et faillit la faire tomber la tête la première dans l'escalier.

— Désolé ! dit-il en la retenant par la taille. Quelle chambre ?

— La première à gauche, murmura-t-elle. Mais, pour l'amour du ciel, ne parlez pas si fort !

Au moment d'entrer dans la chambre, il vit de petites bouffées de fumée qui sortaient par-dessous la porte.

— Il y a le feu ! s'écria-t-il.

— Bien sûr que non ! répliqua Gwen en s'accrochant à son bras. Ce n'est que la vapeur de l'humidificateur.

— Oh ! Pardon. Mais vous auriez dû me prévenir.

— C'est vous qui l'avez acheté. Je croyais que vous saviez ce que cela produisait.

— Comment aurais-je pu le savoir ? Quand je suis malade, je prends une gorgée d'élixir des Chartreux, et je me retrouve en pleine forme !

— Alors, heureusement que vous m'avez confié Elisabeth ! riposta Gwen. A son âge, on supporte plutôt mal l'alcool !

Sans daigner répondre, il ouvrit la porte. La vapeur lui rappela cette maison dans laquelle, enfant, il avait séjourné. Sans doute était-ce une bonne chose si elle pouvait dormir un peu dans cette chambre, pensa-t-il, mais c'était son premier rhume... Il ne cessait de se demander si elle saurait respirer par la bouche, ou si les mucosités pouvaient s'accumuler au fond de sa gorge et l'étouffer.

En entrant, il entendit sa respiration sifflante — pauvre petite... Au moins, elle respirait, pensa-t-il. Il s'approcha du berceau qui se trouvait dans un coin de la chambre et examina Elisabeth. Elle dormait sur le ventre - son petit derrière en l'air, comme elle en avait pris l'habitude — et respirait par la bouche. Il était au moins rassuré sur ce point.

Elle bavait copieusement sur ses draps. Et elle avait les joues toutes rouges... Il aurait voulu mettre la main sur l'âne bâté qui avait eu l'indécence, se sachant enrhumé, de venir tout de même au mariage. Il aurait bien dû savoir qu'un bébé innocent et fragile ne pourrait pas résister à ses microbes ! Un tel individu méritait la pendaison, se dit-il.

— Rassuré ? murmura Gwen, qui l'avait rejoint.

Lorsqu'il se retourna, il se rendit compte que son inquiétude l'avait empêché de remarquer en entrant que la jeune femme avait ôté le vieux survêtement qu'elle portait lorsqu'il était arrivé la première fois, et n'était à présent vêtue que d'un corsage de soie blanche - dont le décolleté révélait la naissance de ses seins — et d'un pantalon vert très moulant. Quant à ses longs cheveux lustrés, ils tombaient librement sur ses épaules. Et ses lèvres douces et séduisantes étaient soulignées de rouge.

Il se raidit, se rappelant vaguement avoir fait une promesse pour obtenir de Gwen la permission de rester chez elle. La regardant dans les yeux, il finit par s'en souvenir : il avait promis de bien se conduire.

6.

Gwen dut reconnaître que sa vanité avait eu raison d'elle. Malgré le crépuscule, elle avait distinctement vu l'expression de Travis changer tandis qu'il la regardait — qu'il la regardait réellement — pour la première fois de la soirée.

Elle aurait mieux fait de garder son vieux survêtement, se dit-elle. Cela aurait clairement indiqué à Travis qu'elle ne songeait en aucun cas à lui plaire. Certes, elle l'aurait gardé si Elisabeth ne s'était pas finalement endormie. Mais, dès que la petite s'était assoupie, elle avait jeté un coup d'œil au miroir biseauté au-dessus de la commode ancienne de la chambre. Sa tenue négligée l'avait fait grimacer.

En glaçant les rouleaux à la cannelle, puis en faisant la vaisselle, Gwen avait tout fait pour essayer de se persuader de rester en survêtement. Mais, ayant exécuté toutes les corvées possibles et imaginables dans la cuisine, elle avait abandonné la lutte et était allée se changer.

Elle n'avait pas davantage résisté à la tentation de se mettre sur son trente et un. Elle avait brossé et frisé ses cheveux, s'était maquillée, et s'était même limé les ongles. A croire qu'elle se préparait pour un rendez-vous amoureux.

Travis poussa son chapeau en arrière et observa longuement Gwen, qui se sentait gênée d'avoir ainsi soigné son apparence.

— J'ai envie d'un café, murmura-t-elle en se dirigeant vers la porte.

— Ouais, moi aussi, dit-il d'une voix plutôt rauque.

Descendant l'escalier, elle entendit se refermer la porte de la chambre de Lizzie.

— Où est ma chambre ? demanda Travis avec calme. Je vais y laisser mon sac de couchage.

S'il logeait près de sa chambre, se dit Gwen, elle entendrait tous les petits bruits intimes qu'il ferait. Deux personnes ayant des préoccupations communes et partageant un même toit, c'était vraiment une combinaison explosive, se dit-elle encore.

— A côté de celle d'Elisabeth, répondit-elle.

— Et la vôtre ?

Elle se figea, le cœur battant, une main sur la rampe. Elle sentait le regard de Travis fixé sur elle.

— Pourquoi demandez-vous cela ? dit-elle sans se retourner.

— Simple curiosité.

La curiosité de Travis n'était sans doute pas si simple que cela, se dit-elle. Mais c'était elle qui avait provoqué la question du cow-boy, en ne supportant pas l'idée de rester toute la soirée en tenue négligée. En changeant de vêtements, elle avait elle-même changé les règles du jeu. Elle avait ranimé la flamme de Travis.

Elle se retourna, espérant que l'expression de son visage ne la trahirait pas. Il lui fallait à tout prix reprendre le contrôle de la situation.

— J'ai des chambres au rez-de-chaussée, dit-elle d'un ton détaché. Lorsque j'ai des invités et que je veux préserver mon intimité, j'en prends une.

Il acquiesça de la tête, le visage inexpressif.

— Bonne idée, dit-il.

— Je vais faire ce café, dit-elle en achevant de descendre l'escalier d'un pas vif.

Elle avait à peine mis la cafetière en marche que Travis entra à son tour dans la cuisine. Il s'était débarrassé de son sac de couchage et de son chapeau. Et ses yeux brillaient.

— Cela sent rudement bon ici, entre la cannelle et le café, dit-il.

Du mieux qu'elle put, elle reprit ses manières habituelles d'hôtesse.

— Merci. Si vous voulez, je vous sers dans la bibliothèque, dit-elle en prenant des tasses et des soucoupes dans le placard.

— Vous n'avez pas à me *servir*, répliqua Travis en se dirigeant vers le comptoir où se trouvaient toujours les rouleaux. Puis-je y goûter ? demanda-t-il.

— Autant que vous voudrez.

Il huma le doux parfum, ferma les yeux et mordit dans le rouleau à pleines dents. Puis il dégusta lentement sa bouchée avant d'ouvrir les yeux.

— Hmm, c'est trop bon ! dit-il. C'est sûrement illégal.

— En… en général, les gens les apprécient, dit-elle.

C'était un comble ! pensa-t-elle. La voilà qui bégayait, à présent ! Et qui rougissait, par-dessus le marché !

Elle se saisit de la cafetière, mais se rendit compte que Travis la verrait trembler si elle le servait tout de suite.

— Comment aimez-vous le café ? demanda-t-elle pour gagner du temps.

— Avec de la crème, si vous en avez. Mais qu'est-ce qu'ils sont bons, ces rouleaux ! ajouta-t-il en se léchant les doigts.

— J'ai de la crème, dit-elle, heureuse de pouvoir se tourner vers le réfrigérateur.

L'air frais rafraîchit merveilleusement ses joues en feu. Si elle restait là quelques secondes de plus, se dit-elle, elle pourrait peut-être retrouver un semblant de calme. C'était sans doute stupide de sa part, mais quelle femme ne serait pas touchée par de tels compliments ? D'autant qu'elle n'avait sans doute jamais rien vu d'aussi érotique que la façon dont Travis mangeait les rouleaux à la cannelle.

— Si vous êtes en manque, dit-il, ce n'est pas grave.

— En manque ? s'étonna-t-elle, se rendant compte qu'elle avait complètement oublié pourquoi elle avait ouvert le réfrigérateur.

— Oui, en manque de crème fraîche.

De la *crème*. Il y en avait devant son nez depuis au moins trente secondes !

— Si, j'en ai, répliqua-t-elle. Mais j'en profitais pour faire un petit inventaire de mes réserves.

Elle prit le pot de crème et referma le réfrigérateur avec précaution.

— Gwen, vous vous sentez bien ? demanda Travis.

Elle se retourna, affichant un sourire qu'elle espérait enjoué.

— Je vais très bien, dit-elle.

— La raison pour laquelle je vous demande cela, dit-il, c'est que vous venez de mettre la cafetière dans le frigo.

— Oh, mon Dieu ! s'exclama Gwen, qui se sentit de nouveau rougir jusqu'à la racine des cheveux.

Elle ouvrit vivement le réfrigérateur. Effectivement, la cafetière se trouvait à la place du pot de crème.

— Le café glacé, ce n'est pas mauvais non plus, dit-il.

Il s'était avancé juste derrière elle, si près qu'elle sentit son souffle sur ses oreilles.

— Mais moi, je le veux chaud ! riposta-t-elle en se saisissant de la cafetière. Mon café, je veux dire, ajouta-t-elle vivement. J'aime le café chaud.

— Moi, je l'aime de toutes les façons, dit-il.

Travis la frôla tandis qu'il passait le bras par-dessus son épaule pour refermer le réfrigérateur. Elle huma avec délice l'effluve de son parfum épicé.

— Faites attention, dit-elle d'une voix tremblante. La cafetière est encore brûlante.

— Auriez-vous l'intention de me la lancer à la figure ? dit-il doucement en lui écartant les cheveux.

Il lui mordilla l'oreille, ce qui faillit lui faire perdre la tête.

— Travis, protesta-t-elle, ce n'est pas ce que je...

— Ce que vous vouliez que je fasse ? murmura-t-il en lui caressant la nuque. Allons, poursuivit-il, ne me dites pas cela. Nous savons tous les deux que cela n'est pas vrai.

— Je ne sais pas ce que je voulais ! gémit-elle.

Il l'embrassa derrière l'oreille, et elle sentit ses genoux se dérober sous elle.

— Alors, je vais vous dire ce que vous pensiez, dit-il en la prenant par la taille et en l'attirant contre lui, pour lui faire sentir la vigueur de son désir. Vous pensiez que nous n'allions pas passer toute la nuit à nous occuper de Lizzie.

Puis il ajouta, en prenant doucement ses seins dans ses mains, comme pour la taquiner :

— Vous pensiez qu'il nous faudrait peut-être trouver un moyen de passer le temps !

Il semblait parfaitement maître de lui. Seul, un léger tremblement dans sa voix trahissait son excitation.

Gwen gémit et ferma les yeux. Elle le sentait brûlant d'ardeur, tout comme elle. Et pourtant, il la caressait avec tant de douceur et de légèreté… Il savait sans doute que, lorsqu'une femme est très excitée, c'est une caresse légère qui a, de loin, le plus d'effet. Il connaissait évidemment les vertus hypnotiques de la lenteur, qui la priverait de toute volonté de résister. Bien sûr qu'il savait tout cela, se dit-elle encore. C'était un spécialiste de ce genre de chose…

Mais à présent, plus rien ne comptait pour elle que la main qui lui caressait la poitrine, et les lèvres qui lui effleuraient le lobe de l'oreille. Elle s'abandonna à ses caresses avec la docilité d'une poupée de chiffon.

— Je… je vais laisser tomber… cette cafetière, murmura-t-elle.

— Sûrement pas ! dit-il d'une voix ferme en la lui prenant des mains.

— Travis…

— Vous allez me laisser vous aimer, ordonna-t-il, tandis que sa respiration se faisait plus bruyante.

Il défit un bouton couvert de soie de son chemisier.

— Non, dit-elle d'une voix faible, sachant qu'elle protestait en vain, et qu'elle ne pouvait plus à présent que se soumettre.

— Si !

Gwen sentit son cœur bondir dans sa poitrine. Seules leurs respirations oppressées troublaient le silence qui régnait dans la maison. Travis ne se hâtait pas. Tandis qu'il ouvrait lentement le corsage de la jeune femme, il lui couvrait l'épaule de baisers légers comme des papillons. Gwen sentait sa poitrine brûler du désir d'être caressée.

A cet instant, un bruit de toux rompit le silence. La main de Travis s'immobilisa aussitôt. Elisabeth toussa de nouveau puis se mit à pleurer.

Travis déposa sur le cou de Gwen un baiser ferme, mais rapide, et desserra son étreinte. Sans mot dire, il quitta la cuisine et monta à l'étage.

En tâtonnant, Gwen reboutonna son corsage, puis le suivit d'un pas chancelant, tandis que les toux et les gémissements s'accentuaient. Au milieu de l'escalier, elle vit Travis revenir en portant dans ses bras une Elisabeth toute rouge.

— Que faut-il faire ? demanda-t-il.

— La moucher et lui donner du sirop, je suppose, répondit Gwen.

— Elle est brûlante.

— Alors, il faut lui prendre la température. J'ai un thermomètre dans ma salle de bains. Allons-y.

Ils traversèrent la cuisine en sens inverse, puis Gwen ouvrit la porte de son appartement.

Lorsque la maison avait été bâtie, un siècle plus tôt, cette partie de la bâtisse avait été destinée aux domestiques. L'appartement de Gwen consistait en un petit salon, une chambre et une salle de bains. Gwen ne laissait jamais ses hôtes y pénétrer, et entendait bien ne pas faire d'exception. Mais la scène qui venait de se produire dans la cuisine prouvait bien qu'elle ne tenait pas forcément les promesses qu'elle se faisait à elle-même…

— Essayez de la bercer pendant que je cherche le thermomètre, dit-elle.

Quelques années plus tôt, elle avait acheté un thermomètre digital qui se plaçait dans l'oreille. Elle avait tenté de se persuader qu'elle le destinait aux hôtes qui venaient avec leurs enfants, mais, par la suite, elle avait dû s'avouer qu'en l'achetant, elle avait aussi pensé à la famille qu'elle rêvait d'avoir.

Le cheval de bois à bascule et le train électrique qui se trouvaient dans la chambre de Lizzie, ainsi que les livres d'enfant disséminés un peu partout dans la maison, sur des étagères, tous ces objets, elle se les était procurés en espérant être un jour maman. Mais, se dit-elle, si elle se permettait une liaison avec un célibataire endurci comme Travis, elle risquait pendant ce temps de ne pas remarquer un bon époux et de le laisser filer…

Oui, pensa-t-elle, elle devait absolument éviter de s'impliquer avec Travis Evans…

Cependant, lorsqu'elle revint dans son petit salon, et le surprit en train de bercer Elisabeth dans l'ancienne chaise à bascule rembourrée de coussins de Perse, son cœur se serra. Ce qui laissait mal augurer de sa capacité à garder ses distances, se dit-elle.

De plus, tout en la mouchant, il lui chantait une berceuse.

Il leva la tête et sourit avec embarras.

— Ouais, je sais, je chante faux comme une casserole, dit-il, mais cela n'a pas l'air de gêner la petite. Au contraire, on dirait que ça la calme.

Gwen avait la gorge nouée. Ce n'était pas juste, se dit-elle, qu'un homme qui aimait tant les femmes et les enfants refuse de se marier. Elle s'accroupit à côté de la chaise à bascule.

— Voyons sa température, dit-elle en introduisant doucement le thermomètre dans l'oreille de Lizzie.

— Le Dr Harrison a le même, dit-il.

Sa voix la fit frissonner. S'il avait récité l'annuaire du téléphone, elle aurait sans doute réagi de la même façon, se dit-elle. N'importe quelle femme aurait réagi ainsi. C'était peut-être ce qui la gênait le plus : qu'il ait utilisé ses techniques de séduction sur tant d'autres femmes. Elle aurait tellement aimé croire que l'attirance qu'ils éprouvaient l'un pour l'autre était unique… Mais elle refusait de prendre le risque de se duper elle-même.

— Trente-sept huit, dit-elle. Ce n'est pas trop mal, la nuit.

— Vous êtes certaine que ce truc marche ? s'inquiéta Travis.

— J'en mettrais presque ma main au feu.

— Tout de même, essayez-le sur moi, pour en être sûre, dit-il en caressant Elisabeth sur la joue. J'ai l'impression qu'elle est brûlante.

— O.K. Je vais le stériliser de nouveau.

S'efforçant de ne pas penser à la tendresse avec laquelle Travis avait caressé Elisabeth, Gwen retourna dans la salle de bains. Elle brûlait de désir pour lui. Les caresses de Travis seraient pour elle un paradis, se dit-elle… et un enfer, car il ne l'aimerait que quelque temps…

— Ne bougez pas, dit-elle en revenant s'accroupir près de la chaise à bascule. Cela chatouille quelquefois.

Travis continuait à caresser Lizzie sur la joue, et la petite semblait calmée. Elle toussait encore de temps en temps, mais ne pleurait plus.

Il n'y avait rien d'étonnant à cela, se dit Gwen en se préparant à insérer le thermomètre dans l'oreille du cow-boy. Il avait le don d'obtenir des femmes tout ce qu'il voulait. Même ses oreilles la séduisaient. Elle aimait la manière dont ses cheveux bruns les cachaient en partie. Et, tout en glissant doucement le thermomètre dans le conduit auriculaire, elle s'imagina en train d'écarter à son tour ses cheveux et de suivre de sa langue la courbe de son oreille. Ce n'était guère le moment, pensa-t-elle, puisqu'il tenait un bébé dans ses bras ; mais Travis ne lui inspirait que des pensées déraisonnables…

Et la forme de ses oreilles était vraiment parfaite. Gwen se surprit à penser qu'il devait en être ainsi pour toutes les autres parties de son corps.

— Mmm ! C'est plutôt sexy ! dit-il en fermant les yeux.

— C'est parce que vous trouvez tout sexy.

— A peu près tout ce que l'on fait est sexy, si on le fait bien !

Gwen sentit une délicieuse brûlure envahir le bas de son corps.

— Trente-sept quatre, dit-elle aussi calmement qu'elle put en lui enlevant le thermomètre de l'oreille. Il marche.

Elle se redressa et s'écarta de façon à être hors de portée de l'effet magnétique de Travis.

— Si seulement je pouvais la guérir d'un tour de passe-passe ! dit-il en soupirant.

— C'est peut-être un cliché, dit Gwen, mais l'amour est parfois le meilleur médicament qui soit.

— Alors elle va se remettre très vite, répliqua-t-il en regardant Gwen dans les yeux. Je suis fou de cette petite !

A sa grande honte, Gwen ressentit une pointe de jalousie. Pourtant, elle aussi adorait Lizzie ; elle était même ravie de voir que Travis lui était si attaché. Après tout, la situation d'Elisabeth n'était guère enviable, avec une mère en fuite et deux hommes qui se disputaient sa paternité. La petite aurait bien besoin de toute la chance et de tout l'amour possibles.

— Je vais chercher le mouche-bébé et lui préparer une boisson.

— Cela ne vous dérange pas que je reste ici avec Lizzie ? Au ranch, elle a déjà pris l'habitude d'un fauteuil à bascule. Je crois qu'elle s'y sent davantage chez elle.

— Bien sûr. Je reviens tout de suite.

En quittant la pièce, Gwen se demandait si elle avait jamais rencontré un homme doté de la même capacité d'aimer que Travis... et du même désir de rester chez elle.

Lizzie n'était pas la seule à se sentir chez elle dans cet appartement douillet, pensa Travis. Gwen avait le don de faire que ses hôtes se sentent bienvenus. Il s'imagina partageant avec elle un repas... ou une étreinte passionnée devant la cheminée. Bien sûr, la décoration faisait un peu trop de place aux fleurs, songea-t-il, mais il n'était pas insensible aux fleurs. En fait, elles l'inspiraient.. Il les avait toujours considérées comme des symboles sexuels.

De toute façon, il adorait faire l'amour à une femme dans son cadre habituel. Il avait alors l'impression de pénétrer son dernier sanctuaire, de briser ses dernières défenses, et d'atteindre ainsi le cœur même de son être. Mais *lui,* il avait toujours veillé à ce que les femmes ne puissent pénétrer le sanctuaire de son être. C'était peut-être injuste, mais les choses devaient être ainsi. Il ne pouvait se permettre de tomber amoureux.

De ce point de vue, Gwen ne le rassurait guère. Il n'avait jamais ressenti un désir aussi impétueux pour une femme. D'ordinaire, dès le début d'une relation, il en envisageait déjà la fin, la considérait comme inévitable, et s'y préparait. Mais il ne pouvait concevoir la fin de sa relation avec Gwen.

Sur ses genoux, Lizzie se remit à tousser. Il l'appuya contre son épaule et lui donna de petites tapes sur le dos. Pauvre petit bout de chou, pensa-t-il. Si cela ne dépendait que de lui, il devrait être impossible d'être malade avant vingt et un ans, âge où l'on peut tout soigner avec un alcool fort.

Peut-être Gwen perturbait-elle son comportement habituel avec les femmes, pensa-t-il. D'autant plus que la maladie de Lizzie le privait d'une partie de son assurance habituelle, et le rendait plus dépendant de la jeune femme. Et il y avait ces diaboliques rouleaux à la cannelle... Il n'avait jamais rien goûté d'aussi bon ! Les manger était presque aussi délicieux que faire l'amour. Presque.

Lorsque Gwen revint, elle portait une serviette et le mouche-bébé dans une cuvette. Il n'y avait rien de délibérément sexy dans sa démarche, et ce qu'elle s'apprêtait à faire ne l'était absolument pas... Pourtant il ne pouvait détacher son regard du galbe de ses seins ou de la courbe de ses hanches. Elle était si féminine qu'il pouvait à peine se contenir.

Il prit une chaise à barreaux près de la table et l'approcha du fauteuil à bascule.

— Elle ne va sûrement pas aimer ça, dit Gwen.

Travis jeta un regard soupçonneux sur le mouche-bébé.

— Alors, laissons tomber, dit-il. Nous allons peut-être lui aspirer quelque chose de vital.

— Cela me paraît impossible, dit-elle. Je vais suivre le mode d'emploi, et procéder en douceur. Et si nous ne le faisons pas, elle aura trop de mal à boire son biberon. Allons, essayons tout de suite. Tenez-la bien en face de moi.

— O.K.

Travis se soumit à l'inévitable. Uniquement parce que le docteur lui avait dit d'aspirer de temps en temps les sécrétions du bébé.

— C'est parti, Lizzie, dit-il. Mais souviens-toi, ce n'est pas moi qui te fais ça. C'est la méchante tante Gwen.

— C'est comme cela que vous me remerciez de tout ce que je fais pour vous deux ! répliqua Gwen en prenant le mouche-bébé.

— Je ne sais pas si je vais le supporter, se plaignit Travis. Vous ne vous rendez pas compte à quel point c'est dur pour moi !

— Dans ce cas, ne regardez pas.

— C'était bien mon intention, dit-il.

D'autant plus que, s'il tournait la tête, son regard plongerait directement dans le décolleté de Gwen. Comme par magie, cela calma son inquiétude, du moins jusqu'à ce que Lizzie se mette à hurler. De nouveau, il porta les yeux sur le visage congestionné de la petite fille, juste au moment où Gwen s'éloignait d'elle.

— Hé ! Vous lui avez fait mal ! s'écria-t-il.

— Elle n'a peut-être pas aimé cela, mais maintenant, elle a une narine débouchée. Tenez-la bien, que je puisse faire la même chose sur l'autre narine.

— Mais vous voyez bien qu'elle déteste cela !

— Elle appréciera de pouvoir respirer de nouveau librement, répliqua Gwen en le regardant droit dans les yeux. Une vie sans souffrances et sans problèmes, ça n'existe pas, ajouta-t-elle. Il faudra bien qu'elle souffre de temps en temps, Travis. Elle ne pourra pas progresser sans cela.

— Qui a décrété cela ?

Gwen secoua la tête.

— C'est la vie, dit-elle en souriant.

— Pas si je puis l'empêcher ! protesta Travis.

— Dans ce cas, déclara Gwen, heureusement que vous ne verrez jamais une femme en train d'enfanter. Sinon, vous interdiriez formellement les accouchements, et pour toujours !

— Vous avez peut-être raison, dit-il.

Puis, regardant Lizzie, il ajouta :

— Mais j'aurais donné n'importe quoi pour la voir naître.

7.

Travis apportait un démenti à toutes les idées préconçues qu'elle avait à son sujet, pensa Gwen. L'homme qu'elle croyait connaître n'aurait jamais avoué son regret de n'avoir pas assisté à la naissance de son enfant. Alors qu'elle le trouvait sexy, mais peu sensible, elle s'était sentie attirée par lui. Maintenant qu'elle le savait sexy *et* sensible, elle risquait de ne plus pouvoir contrôler la situation, se dit-elle en finissant de nettoyer le nez d'Elisabeth.

— Et maintenant, dit-elle, essayons de la faire boire.

— Pourriez-vous la prendre un instant ? demanda Travis. J'ai une crampe au bras. Vieille blessure de rodéo.

— Bien sûr.

Gwen posa la cuvette et prit Elisabeth dans ses bras. La respiration de la petite était à présent beaucoup plus libre, bien qu'encore un peu sifflante.

— Cela va mieux, dit Travis en se levant.

Il roula les épaules et remua les doigts.

— Cela m'ankylose de rester trop longtemps dans une position, ajouta-t-il en étendant les bras. Maintenant, je peux la reprendre, si vous le voulez.

— Ce n'est pas la peine. Je vais lui donner le biberon.

Une fois de plus, Gwen s'était surprise à le fixer des yeux, fascinée par le roulement souple de ses muscles sous sa chemise, et par ses doigts fins et habiles. Sauf erreur, il venait d'admettre une faiblesse physique, ce qu'un véritable macho ne ferait jamais.

— Avez-vous essayé les massages ? demanda-t-elle.

De nouveau, son regard s'alluma.

— Est-ce une proposition ?

— Euh… Non, répondit-elle en avalant difficilement sa salive.

Gwen s'assit dans le fauteuil à bascule, étala la serviette sur son épaule et y déposa Elisabeth, de façon à ce qu'elle respire plus facilement. Le coussin du fauteuil avait gardé la chaleur de Travis, et Gwen ressentit des petits fourmillements à un endroit très précis de son anatomie.

— Je ne m'y connais guère en massages, ajouta-t-elle.

Et elle le regrettait amèrement, se dit-elle en rougissant.

— Mais moi, je m'y connais, affirma Travis. Je pourrais vous dire ce qu'il faut faire.

Gwen n'en douta pas un instant.

— Nous verrons, dit-elle. Pour l'instant, il vaut mieux que vous prépariez le jus de fruits d'Elisabeth avant que son nez soit de nouveau pris. J'ai mis ses affaires dans la cuisine.

— J'ai vu cela. Je ne serai pas long.

Dès qu'il fut sorti de la pièce, Gwen soupira et se détendit contre le dossier du fauteuil. Tout ce qu'elle pouvait faire, se dit-elle, c'était vivre les uns après les autres les épisodes de cette soirée, en espérant ne pas l'achever au lit avec cet homme.

Elle ajusta la position d'Elisabeth, de façon à faciliter encore sa respiration. La petite toussa et reposa la tête contre l'épaule de Gwen.

— Tu es épuisée, n'est-ce pas, chérie ? murmura Gwen. Tu ne peux pas dormir, tu ne peux pas manger, c'est presque comme si tu étais amoureuse ! ajouta-t-elle en pensant qu'elle aussi avait fort peu dormi ou mangé ces derniers temps.

— Qui est amoureuse ? demanda Travis en revenant de la cuisine, un biberon de jus de pommes à la main.

— Matty, se hâta de répondre Gwen.

Elle installa Elisabeth dans le creux de son bras et prit le biberon que lui tendait Travis.

— Je n'ai jamais vu quelqu'un d'aussi amouraché, ajouta-t-elle, tandis que la petite mordait dans la tétine. Ce qui était bon signe.

Travis ricana.

— Matty et Sebastian ne sont pas seulement amoureux, ils sont sur un petit nuage, dit-il. Sebastian est tellement distrait dans son travail que je dois le surveiller sans arrêt. Deux fois il a versé de l'avoine dans l'abreuvoir, ce qui a causé une pagaille d'enfer.

— Je vois très bien le tableau, dit-elle, se souvenant à quel point Matty, elle aussi, était excitée et tête-en-l'air les jours précédant son mariage.

Elisabeth renifla. Gwen s'assura qu'elle buvait, ce qui était le plus important. Rassurée, elle poursuivit :

— Lorsque Matty m'a emmenée à Canon City acheter des vêtements, elle rêvait tellement à son merveilleux Sebastian qu'elle a failli faire sauter la boîte de vitesse.

— Je comprends maintenant pourquoi son pick-up embrayait si mal hier, lorsque je l'ai rentré au garage. Son embrayage doit être bon pour la casse !

— C'est bien possible, dit Gwen.

— Je dois dire que de telles passions me font un peu peur, dit Travis.

Gwen lui lança un regard acéré.

— Cela signifie que vous n'avez jamais..., commença-t-elle.

Travis l'interrompit.

— Pas au point d'essayer de faire reluire le capot de ma voiture avec du cirage à chaussures, comme Sebastian ! Mais je suppose que vous, vous avez été amoureuse, puisque vous vous êtes mariée.

Gwen pensa à Dereck. Autrefois, elle avait été follement éprise de lui. L'amour l'avait alors rendue aveugle, sourde et muette.

— C'est vrai, j'ai été amoureuse, répondit-elle en baissant les yeux. Mais je n'ai pas eu la chance que Dereck éprouve la même chose à mon égard.

— Allons, répliqua Travis, lui aussi devait être amoureux, puisqu'il a demandé votre main.

— Peut-être l'a-t-il été à sa manière, mais, en tout cas, ce n'était pas le genre d'homme à rester fidèle.

Gwen redressa un peu le biberon pour permettre à Lizzie de continuer à boire.

— Malheureusement, ajouta-t-elle, il ne s'en est aperçu qu'après m'avoir passé la bague au doigt.

— L'aimez-vous toujours ? demanda Travis, d'une voix soudain plus rauque.

Gwen leva les yeux. Si un autre homme avait posé cette question, elle aurait juré que la réponse lui importait. Mais Travis ne s'inquiétait sûrement pas de savoir si elle aimait toujours Dereck, se dit-elle. Pour Travis, le sexe et l'amour étaient deux choses différentes, et il ne voulait obtenir d'elle que la première.

Elisabeth ne laissa pas à la jeune femme le temps de répondre. Elle se mit à tousser et à étouffer.

Aussitôt, Gwen tendit le biberon à Travis, réinstalla le bébé à plat ventre sur son épaule, et lui donna des petites tapes sur le dos.

— Elle ne va pas bien ? s'inquiéta Travis en s'approchant tout près d'elles, car Elisabeth continuait à tousser, et sa respiration était sifflante. Vous voulez que j'appelle le docteur ?

— Je crois qu'elle a seulement avalé de travers, répondit Gwen, sans cesser de bercer le bébé et de lui tapoter le dos.

Enfin, la toux d'Elisabeth se calma, mais sa respiration, qui restait sifflante, s'accéléra.

— Vous ne croyez pas que sa fièvre a empiré ? demanda Travis en posant la main sur le front de Lizzie. Et si nous lui reprenions la température ?

— Attendons tout de même un peu, répondit Gwen.

La proximité de Travis la faisait frissonner, alors qu'il ne se préoccupait manifestement que de la petite.

— Je crois qu'il faut surtout lui laisser le temps de combattre la maladie, dit-elle. Le mieux, c'est peut-être de la changer et de la recoucher, ajouta-t-elle.

— Je m'en charge, dit Travis. Donnez-la-moi.

En la prenant des bras de Gwen, il lui caressa involontairement les seins. En tout cas, Gwen était certaine que c'était involontaire, car, se dit-elle, lorsque Travis voulait caresser une femme, il n'employait certainement pas de telles ruses. Ce qui ne l'empêcha pas de sentir ses tétons se durcir à ce contact.

— Je monte avec vous, dit-elle en le suivant dans le corridor. Je vais rouler une couverture sous le matelas de Lizzie, pour qu'elle soit moins à l'horizontale. Je pense qu'elle respirera mieux de cette façon.

Tant que Travis était préoccupé par la santé du bébé, elle n'aurait pas trop de mal à lui résister, pensa-t-elle.

— Bonne idée, approuva-t-il.

A cet instant, une marche grinça sous le pas de Travis.

— Vous devriez faire arranger cela, fit-il remarquer.

— En fait, répondit Gwen, ce bruit m'arrange. Il me prévient que mes hôtes descendent. Comme cela, ils ne peuvent me prendre par surprise.

Et cela valait aussi pour Travis, pensa-t-elle. Un grincement dans l'escalier, ce soir, et elle se préparerait à affronter les pires ennuis, se dit-elle…

— Vous avez déjà eu des problèmes avec vos hôtes ? demanda-t-il.

— Non.

Jusqu'à présent.

— Je me renseigne sur les gens qui font des réservations. Puis, si j'ai le moindre doute à leur sujet, je les rappelle pour leur dire que je me suis trompée et qu'il n'y avait déjà plus de place à la date demandée.

— C'est déjà une bonne chose, dit Travis, mais ce n'est peut-être pas suffisant. Tout le monde va bientôt se rendre compte que vous dirigez seule votre établissement…

— Je connais quelques techniques élémentaires d'autodéfense, répondit Gwen.

La jeune femme se demandait comment interpréter le souci que manifestait Travis pour sa sécurité. Elle avait très envie de n'y voir que de la condescendance typiquement masculine. Mais quelque chose de plus profond en elle était touché. Dereck avait toujours tenu pour acquise sa capacité à se prendre en charge — et il ne se trompait pas — mais Gwen trouvait aussi bien agréable de sentir qu'un homme prenait à son égard une attitude protectrice.

— Je crois qu'il vous faut un bon chien de garde, dit Travis en entrant dans la chambre d'Elisabeth. Un gros.

— Je n'ai qu'une toute petite cour, objecta Gwen en prenant la couverture pliée au pied du lit.

— Ce n'est pas un problème, répliqua Travis. Il suffira de le promener dans le parc de temps en temps. Ou de l'emmener avec vous lorsque vous rendrez visite à Matty et Sebastian.

Travis parlait de l'avenir avec une telle désinvolture ! pensa Gwen. Mais, lorsqu'elle rendrait visite à Matty et Sebastian, le cow-boy serait là — en tout cas l'été. Aussi longtemps qu'elle serait liée d'amitié avec Matty et Sebastian, Travis ferait donc partie de son avenir, pensa Gwen. Et s'il devenait son amant — quelle que soit la durée de leur liaison — cet avenir serait bien compliqué…

Travis coucha Elisabeth sur le dos, mais elle se mit à gémir.

— Hé, Lizzie, qu'est-ce qui ne va pas, ma petite ? lui demanda-t-il en déboutonnant sa grenouillère.

Tenant toujours la couverture, Gwen le regarda changer les couches d'Elisabeth. Ses gestes précis prouvaient qu'il avait pris le temps d'apprendre à bien le faire, pensa-t-elle, car il voulait toujours exécuter ses tâches le mieux possible. Il ne cessait de distraire la petite, de sorte qu'elle ne trouvait guère le temps de pleurer ou de gigoter. Et même, lorsqu'il fit vibrer ses lèvres contre ses fesses, elle eut des petits rires et se mit à gazouiller. Puis il sortit du sac de couches un petit singe en chiffons qu'il tendit à Elisabeth.

— Regarde ce que j'ai trouvé ! Bruce !

Lizzie poussa de petits cris ravis et fit tournoyer le singe dans tous les sens, avant de le lancer sur le visage de Travis.

— Ton Bruce te manquait, pas vrai ? dit-il. Pas étonnant que tu ne pouvais pas dormir !

Travis semblait toujours faire ce qu'il fallait, pensa Gwen. C'était vrai que ses baisers ou ses caresses venaient toujours au bon moment, se dit-elle encore.

— Sebastian m'a raconté que lui-même avait eu un petit singe en chiffons appelé Bruce, dit Gwen. Je suppose que, lorsque Elisabeth aura des enfants, elle leur donnera un singe en chiffons nommé Bruce. Et, dans un siècle, ses descendants auront aussi un singe du même nom…

Les gestes de Travis ralentirent.

— Grands dieux, dit-il en jetant un coup d'œil à Gwen par-dessus son épaule, si je suis vraiment le père de Lizzie, je serai aussi grand-père un jour !

L'étonnement se peignait sur son visage, au point que Gwen ne put s'empêcher de rire.

— Et cela vous fait peur ? demanda-t-elle.

Travis sembla réfléchir quelques secondes.

— Non, dit-il enfin, en se remettant à sa tâche. Non, répéta-t-il, je ne sais pas pourquoi, mais cela ne me fait pas peur.

Gwen brûlait d'apprendre de sa bouche pourquoi exactement il avait décidé de ne jamais se marier. Elle le trouvait prêt à un tel engagement. Mais elle s'abstint de le lui demander, craignant qu'il n'interprète mal la raison pour laquelle elle aurait posé une telle question.

— Je vous laisse relever le haut du matelas de Lizzie, dit-elle en tendant la couverture à Travis. Je vais chercher de l'eau pour l'humidificateur, puis je m'occuperai de notre dîner.

— Merveilleux ! dit-il. Et merci pour tout ce que vous avez fait. Je suis beaucoup moins inquiet au sujet de Lizzie depuis que je suis arrivé chez vous.

— Je n'ai vraiment pas fait grand-chose, protesta Gwen.

— Vous étiez là au bon moment, quand j'avais besoin de vous.

— En tout cas, je suis heureuse d'avoir pu vous être utile, dit-elle.

Elle préféra partir plutôt que d'ajouter des paroles encore plus insipides.

Par contre, le cow-boy ne se doutait sûrement pas de l'effet que sa remarque venait de produire sur elle, pensa-t-elle en quittant la chambre,

Une heure plus tard, ayant dévoré une seconde part de lasagnes, Travis se demanda s'il y aurait encore de la place dans son estomac pour un ou deux rouleaux à la cannelle. Personne ne cuisinait aussi bien que Gwen, se dit-il. Et son service en porcelaine n'avait fait qu'ajouter à son plaisir.

Lizzie dormait comme un ange — il était allé le vérifier entre ses deux assiettes de lasagnes. Et Gwen refaisait du café. Si bien qu'il régnait dans la maison une atmosphère tout à fait agréable.

Pendant le repas, il avait réussi à la faire parler un peu de ses parents. Il savait maintenant qu'ils n'avaient de cesse de la convaincre de trouver un métier plus gratifiant, ou du moins de poursuivre ses études. Mais il trouvait que cette maison convenait parfaitement à Gwen, qui, de son côté, semblait adorer son rôle d'hôtesse. Visiblement, elle était faite pour ce métier, pensa-t-il, et il espérait bien que ses parents ne réussiraient jamais à la persuader de devenir érudite, comme eux, ou une V. I. P. de grande ville imbue de sa personne, comme son frère.

Et sans Gwen, pensa-t-il, Huerfano perdrait une grande partie de son charme…

— Je ne coucherai pas avec vous, dit-elle d'un ton calme. Vous pouvez arrêter de me regarder comme cela.

Surpris, Travis se mit à rire.

— Je vous regarde comment ?

— Vous croyez peut-être que je ne sais pas lire dans votre esprit fertile ? Vous aviez un tel sourire… Osez dire que vous ne pensiez pas à la manière dont nous pourrions nous retrouver au lit, maintenant que Lizzie dort et que vous avez bien dîné !

Certes, pendant la plus grande partie du repas, c'était exactement ce à quoi il avait pensé. Mais à cet instant précis, ses pensées étaient parfaitement pures, et il réagit avec la vigueur de l'innocence outragée.

— Mais je pensais seulement que vous teniez merveilleusement cette pension de famille !

— Oh ! je suis bien certaine que le mot « famille » ne vous est jamais venu à l'esprit ! Vous mentez vraiment mal !

Mais Travis ne restait jamais longtemps sur la défensive.

— Puisque c'est vous qui avez amené le sujet sur le tapis, parlons donc de la manière dont vous vous êtes vêtue !

L'inquiétude se lut dans les yeux sombres de Gwen.

— Je ne porte rien de spécial, dit-elle.

— Vraiment ? Lorsque je suis arrivé la première fois, cet après-midi, vous portiez un vieux survêtement.

— Votre arrivée m'a surprise, dit-elle.

— Je l'avais bien compris.

Et cela n'aurait rien changé pour lui, se dit-il. Dès qu'il avait été rassuré sur l'état de santé de Lizzie, Gwen l'aurait attiré de toute façon, même si elle était restée en survêtement. Mais cela, il valait mieux ne pas le lui dire, pensa-t-il, pour ne pas aggraver son cas.

— De toute façon, poursuivit-il, lorsque je suis revenu, je vous ai trouvée en chemisier de soie et en collants, avec les cheveux dénoués et du rouge à lèvres. Comment vouliez-vous que j'interprète cela ?

Les joues de Gwen s'empourprèrent.

— C'était un réflexe. J'ai l'habitude d'accueillir ainsi mes hôtes.

— Mais je ne suis pas un hôte, dit-il d'une voix douce. A moins que vous ne vouliez que je vous paye ? Dans ce cas, votre prix sera le mien. Après ce que vous avez fait pour Lizzie, je serais heureux de vider mon compte en banque pour vous.

— Bien sûr que je ne veux pas vous faire payer ! C'est absolument ridicule. Vous savez très bien que j'ai fait cela uniquement pour vous aider, puisque Matty et Sebastian ne sont pas chez eux.

— C'est ce que je croyais. Vous m'aviez déjà repoussé deux fois, et je pensais que, si vous vous occupiez d'Elisabeth, je devais vous promettre de vous laisser tranquille. Et j'ai fait cette promesse. Mais lorsque je vous ai vue habillée comme cela à mon retour du ranch, j'ai reconsidéré la situation.

Gwen rougissait violemment à présent.

— Eh bien, s'écria-t-elle, je ne voulais pas passer la soirée avec vous dans une tenue de femme de ménage, c'est tout ! Quel mal y a-t-il à cela ? J'ai l'habitude de soigner mon apparence, et...

— Arrêtez donc de jouer la comédie, cela ne vous va pas du tout. Vous avez envie que je vous désire, Gwen !

Sidérée, elle le fixa, puis avala difficilement sa salive.

— Il n'y a pas de problème, ajouta-t-il, touché par la nervosité de Gwen. Votre attitude me flatte, d'autant que je vous désire, nous n'en doutons pas, ni vous, ni moi. Alors, vous saviez qu'on ne peut agiter une cape rouge devant un taureau sans s'attendre à le voir charger...

Gwen jeta sa serviette sur la table et recula sa chaise.

— Et vous adorez pousser les femmes à agiter cette cape rouge, pas vrai ? Vous les défiez, et elles ne peuvent résister ! Ce n'est pas du tout fair-play, si l'on en juge par votre carnet de rendez-vous !

— Je ne sais pas de quoi vous voulez parler, protesta Travis. Je leur dis toujours très franchement que je ne...

— Je n'en doute pas ! s'écria-t-elle en se levant brusquement. Et vous croyez que cela arrange tout, n'est-ce pas ? poursuivit-elle d'une voix tremblant de colère. Comme s'il suffisait de prévenir les femmes que vous ne risquez pas de vous engager ! Qu'elles vont peut-être vous satisfaire un temps, mais que vous finirez toujours par les quitter, parce que personne n'est assez femme pour vous !

— C'est faux ! Je...

— C'est absolument vrai ! répliqua-t-elle. Vous imaginez que les femmes vous sont reconnaissantes que vous daigniez leur offrir une petite liaison, n'est-ce pas ? poursuivit-elle, tandis que ses yeux lançaient des éclairs. Selon vous, c'est ce que j'ai pensé, puisque j'ai changé de vêtements ! Bien sûr, je voulais adhérer au club des fans de Travis Evans !

Tant d'incompréhension de la part de Gwen le stupéfia.

— Vous avez tout compris de travers, dit-il. Ce sont les femmes que j'ai connues qui sont trop bonnes pour moi, et pas le contraire !

Gwen ouvrit de grands yeux.

— Oh, j'en suis bien certaine ! dit-elle.

— Je jure que je les quitte pour *leur* bien, pas pour le mien ! Certains types sont des pur-sang, prêts pour la plus grande course, celle qui dure toute une vie, avec la même partenaire. Mais moi, dans le domaine des relations, je ne suis qu'une demi-portion !

— Allez donc faire ce discours à Donna ! Essayez donc de la persuader que vous la trouvez trop bien pour vous, et que c'est la raison pour laquelle vous l'avez laissée tomber !

A son tour, Travis se leva et posa les deux poings sur la table.

— Je ne l'ai pas laissée tomber. Je ne fais jamais cela à une dame. Jamais. Si je trouve qu'elle est trop entichée, je prends un peu de recul. Si elle insiste et commence à me faire passer ostensiblement devant la vitrine du bijoutier, je mets les choses au point avec elle.

— Comme c'est attentionné de votre part !

— C'est exactement mon avis ! riposta Travis.

La colère lui faisait battre le sang dans les tempes. Le problème, c'était qu'en même temps, il sentait monter son désir pour Gwen. C'était plutôt gênant, pensa-t-il.

— J'essaye toujours de maintenir le statu quo avec les femmes, poursuivit-il. Celles qui ne peuvent s'y résoudre, je leur envoie une douzaine de roses et leur fais comprendre que nous ne pouvons continuer comme au début de notre liaison, mais qu'elles seront toujours présentes dans mon cœur.

— Votre cœur doit ressembler au périphérique de Denver aux heures de pointe ! ironisa Gwen.

Blessé bien plus qu'il n'aurait voulu le laisser paraître, Travis recula vivement sa chaise. Elle le dépeignait comme un salaud arrogant, pensa-t-il, alors qu'il n'avait jamais cherché qu'à donner du plaisir aux femmes.

— C'est pourtant vrai que je chéris chacune des femmes à qui j'ai fait l'amour ! protesta-t-il.

— Une de mes amies chérit ses casquettes, dont elle fait collection. Aux dernières nouvelles, elle en avait deux cent seize.

— Mais je n'ai pas fait l'amour à deux cent seize femmes, que diable ! s'emporta-t-il.

— Pas encore ! donnez-vous donc un peu plus de temps. Mais je veux bien être pendue si je fais un jour partie de votre collection !

— J'en suis ravi.

Certainement pas, se dit-il. La colère de Gwen lui donnait terriblement envie de la serrer dans ses bras et de l'embrasser comme un fou, alors que, d'ordinaire, il renonçait à conquérir les femmes qui se montraient à ce point arrogantes. Surtout s'ils n'avaient pas encore fait l'amour.

Mais il ne voulait pas renoncer à Gwen avant de l'avoir convaincue que son comportement avait toujours été parfaitement décent. Et cela n'était guère bon signe, pensa-t-il.

— Je reconnais que je vous trouve séduisante, dit-il, parce que vous êtes sexy en diable, et que vous représentez pour moi un défi.

C'était peut-être effectivement tout ce qu'elle était pour lui, se dit-il. Un défi. Jusque-là, il s'était battu comme un lion pour la conquérir. Chaque fois qu'il s'était donné autant de mal avec une femme, il avait fini par coucher avec elle. Il n'y avait jamais eu d'exception. Mais il s'était toujours bien comporté avec ces dames ! se répéta-t-il. Il les avait traitées comme il se devait, et il n'avait jamais connu de problème lors des séparations. Des tas de types étaient loin d'être aussi prévenants. Comme Dereck, par exemple.

Elle secoua la tête, et la lumière du chandelier de cristal se refléta dans ses cheveux bruns. Elle n'en avait pas fini avec lui.

— Quel bonheur ! s'exclama-t-elle. Le pire serait de n'être même pas remarquée par le grand Travis Evans. Moi, au moins, je sais que vous me désirez !

Et c'était vrai qu'il la désirait plus que jamais, se dit-il. Malgré la pluie de sarcasmes qui venaient de s'abattre sur lui.

Elle le regarda dans les yeux, d'un air de défi.

— Je crois qu'il vaut mieux que je m'arrête là, dit-elle ensuite en quittant la cuisine.

Econduit ! Encore une fois. C'était vraiment incroyable ! se dit-il.

Il se donna beaucoup de mal pour prendre un air désinvolte :

— Je ne sais toujours pas si je dois faire ou non la vaisselle ! dit-il d'un ton détaché.

8.

Si la sonnette de l'entrée n'avait pas retenti à cet instant précis, Gwen lui aurait sans doute lancé la vaisselle à la figure, au lieu de la lui faire nettoyer. Et c'était un service ancien de très grande valeur. Irremplaçable.

— Excusez-moi.

Elle inspira profondément, et se dirigea vers la porte d'entrée. Quel dommage de n'avoir pas dit simplement *non* à Travis, se dit-elle, au lieu d'avoir disserté sur sa vie de coureur de jupons.

— Attendez ! s'écria Travis au moment où elle s'apprêtait à ouvrir la porte. N'ouvrez pas !

— Et pourquoi cela ? s'inquiéta-t-elle en se retournant vivement.

Elle vit Travis entrer à grands pas dans le vestibule.

— Sebastian et moi, répondit-il, nous pensons que celui ou ceux qui recherchent Jessica pourraient très bien savoir où se trouve Lizzie et s'en prendre aussi à elle !

— Oh !

« Ce serait horrible », pensa Gwen. « Pas étonnant que Travis se soit inquiété de la sécurité de mon *bed and breakfast* ! »

— Je n'avais jamais pensé que…

— C'est peu probable, coupa-t-il, mais nous préférons être prudents. Il n'y a pas de judas sur votre porte ?

— Non. Je n'ai pas eu le courage de la défigurer. Et, pendant la journée, je peux toujours voir qui sonne par la baie vitrée.

Travis soupira.

— Dans ce cas, attendez un instant, dit-il.

Il entra dans le petit salon, dont il écarta les rideaux.

— C'est Donna, dit-il. Vous pouvez la faire entrer.

Donna. Elle ne venait sûrement pas lui rendre visite, se dit Gwen. Elles ne se fréquentaient guère. C'était certainement le pick-up de Travis, garé devant chez elle, qui l'avait décidée à sonner à sa porte. Gwen se demanda si l'institutrice du jardin d'enfants avait reçu sa douzaine de roses d'adieu, et si elle occupait toujours une place dans le cœur de Travis. En tout cas, il y avait de grandes chances pour que Donna ait occupé une place dans le lit du cow-boy, et, à cette pensée, la mâchoire de Gwen se crispa.

— Donna ! Quelle surprise ! s'écria Gwen en ouvrant la porte. Entrez donc, ajouta-t-elle en s'effaçant pour la laisser passer.

— Excusez-moi de venir vous déranger, Gwen, dit la nouvelle venue.

Gwen ne put s'empêcher de remarquer la petite taille de la maîtresse d'école, ainsi que son allure de poupée. Mais, avec sa poitrine généreuse, elle ressemblait surtout à Barbie.

— Vous ne me dérangez pas du tout, dit Gwen.

— J'ai remarqué le pick-up de Travis devant chez vous, et je me suis demandé s'il était ici. Comme je dois lui parler, cela m'éviterait d'aller le voir au ranch.

A cet instant, Travis sortit du petit salon.

— Que puis-je faire pour vous, Donna ? s'enquit-il.

Gwen lui lança un regard en coin. *Choisissez mieux vos mots, cow-boy,* pensa-t-elle.

— Oh ! Salut, Travis !

A la vue du cow-boy, les joues de Donna avaient rosi. Elles rosirent encore davantage lorsqu'elle remarqua qu'il était en chaussettes. Elle jeta un coup d'œil furtif à Gwen.

— Euh… J'espère que je n'ai pas interrompu quelque chose…, dit-elle.

— Vous n'avez rien interrompu du tout, dit Travis. J'ai enlevé mes bottes pour ne pas réveiller Lizzie. Elle dort à l'étage.

— Donnez-moi votre manteau, Donna, dit Gwen. Vous allez goûter mes rouleaux à la cannelle, je viens de les faire. Et je crois qu'il reste du café.

Donna regarda Travis d'un air interrogateur.

— Vous séjournez ici avec le bébé ? lui demanda-t-elle.

— Au moins cette nuit. Lizzie est malade.

— Oh, *non !*

— J'ai peur que si. Et je ne veux pas trop m'éloigner du cabinet du Dr Harrison, au cas où son état empirerait. Gwen a eu la gentillesse de mettre deux chambres à notre disposition, et de me faire à dîner.

Il insistait lourdement sur le fait que son hôtesse ne partageait pas sa chambre avec lui, se dit Gwen avec irritation. Mais, puisqu'il ne pouvait plus douter du refus de son hôtesse, maintenant, il avait peut-être décidé de renouer avec Donna, pensa-t-elle encore. Dans ce cas, tant mieux pour elle. Donna pouvait bien se couvrir de ridicule si elle en avait envie.

— Que diriez-vous d'aller tous les deux dans le salon pendant que je vais chercher les gâteaux et le café ? proposa Gwen.

— Ce serait merveilleux, dit Donna en souriant.

Gwen la regarda entrer dans le petit salon. Elle s'est bien gardée de proposer de m'aider, pensa-t-elle. Ou de suggérer qu'ils pourraient tous les trois se contenter de la cuisine. Donna semblait heureuse de l'écarter de son chemin.

— Je vais vous aider, proposa Travis.

Gwen lui lança un regard glacial.

— Il n'en est pas question, dit-elle. Occupez-vous donc de votre hôte, Travis.

Le cow-boy parut légèrement surpris, mais il se contenta de hausser les épaules avant de rejoindre Donna dans le salon.

D'ordinaire, Gwen adorait servir les gens. Disposer sur un plateau ses coupes et soucoupes anciennes, sa cafetière en argent, ainsi que son sucrier et son pot à crème en porcelaine de Chine, tout cela ne manquait jamais de lui procurer une grande satisfaction. Et les gens qu'elle servait dans le salon avaient toujours droit à des serviettes bordées de dentelle et serties dans un élégant rond en argent. Cependant, cette fois-ci, elle faillit jeter sur le plateau des serviettes en papier et un pack de crème.

Mais sa fierté la retint.

Finalement, elle prépara le plateau avec encore plus de soin que de coutume. Elle prit le temps de faire réchauffer les rouleaux à la cannelle et les disposa dans un petit panier spécial dans lequel elle avait placé une pierre chaude. Elle refit même du café, plutôt que servir celui qui restait du dîner.

Donna avait dû goûter chaque instant passé avec Travis, se dit Gwen. Se préparant à voir Donna et Travis enlacés, elle entra dans le salon et trouva effectivement Travis assis sur le divan victorien. Mais seul.

— Donna est aux toilettes ? demanda Gwen en posant le plateau sur la petite table en face de Travis.

— Non. Elle est rentrée chez elle.

Gwen leva vivement la tête.

— Chez elle ? Déjà ? s'étonna-t-elle.

— Oui. Elle n'a pas obtenu la réponse qu'elle espérait, alors elle est partie.

Il se pencha au-dessus du plateau.

— Cela sent merveilleusement bon, dit-il. Vous avez dû réchauffer les gâteaux.

— C'est vrai.

Gwen jeta un coup d'œil en direction de la porte d'entrée, s'attendant presque à voir réapparaître Donna.

— Elle est réellement rentrée à la maison ? demanda-t-elle. Je m'attendais à vous retrouver très amis…

— Vraiment ? répliqua-t-il en prenant un air étonné. Puis-je servir le café ?

— Bien sûr.

Il emplit deux tasses sans renverser une seule goutte, puis leva la tête.

— Allez-vous vous asseoir ou bien préférez-vous boire votre café debout ? demanda-t-il.

— Je vais m'asseoir.

Se demandant comment connaître la raison du brusque départ de Donna sans poser la question à Travis, Gwen contourna la petite table basse et prit place à côté de lui sur le divan de velours. Elle soupçonnait qu'elle n'était pas étrangère à ce départ, et cela ne faisait qu'accroître sa curiosité... Peut-être Travis avait-il congédié Donna pour demeurer seul avec son hôtesse, pensa-t-elle...

Il versa une grande quantité de crème dans le café de Gwen, et remua le tout avec la petite cuiller.

— Comment saviez-vous que je bois le café ainsi ? demanda-t-elle en prenant sa tasse avec quelque nervosité.

— Je vous ai observée, répondit-il en se servant à son tour de crème.

— Mais quand cela ?

— Des tas de fois. Au repas de mariage. Ce soir au dîner. Vous le prenez toujours comme cela.

Gwen s'en voulut d'être impressionnée par le seul fait qu'il avait pris la peine de remarquer un détail aussi dérisoire.

— Ce n'est pas juste. Vous avez une technique d'enfer pour séduire les femmes ! protesta-t-elle.

Travis souleva le linge qui couvrait les rouleaux dans le petit panier.

— Donna n'a pas pensé que j'avais une technique d'enfer lorsque j'ai refusé de passer le week-end prochain avec elle dans la maison de campagne de ses parents, répondit-il. Seigneur ! Ces rouleaux sentent trop bon !

Cette réponse ne suffit pas à apaiser Gwen. Ainsi, se dit-elle, Donna était venue chez elle pour essayer de reconquérir Travis...

— Je suis certaine que vous pourriez vous libérer, dit-elle. Matty et Sebastian seront de retour avant le week-end, et...

— Oh ! Je pourrais me libérer sans problème, répondit-il en suspendant sa main qui s'apprêtait à saisir un gâteau. Mais je ne le ferai pas. En dépit de tout le mal que vous pensez de moi, je ne me sers pas des gens pour mon seul plaisir. En ce moment, il n'y a qu'une seule femme avec qui j'ai envie de passer le week-end.

Gwen se sentit frissonner sous le regard du cow-boy.

— Travis, je..., commença-t-elle, l'estomac serré.

Mais ce dernier l'interrompit.

— Ce n'est pas parce que vous me rejetez que je vais me servir d'une brave fille comme Donna pour me consoler, dit-il. Même si elle prétend que cela ne la dérange pas de n'être qu'un second choix, ajouta-t-il en se penchant sur la table pour mordre dans son gâteau.

— Mmm ! Quel délice ! murmura-t-il.

Gwen avait le souffle coupé.

— Vous lui avez dit que vous vous intéressiez à moi ? réussit-elle enfin à demander.

— Seulement parce qu'elle ne voulait pas admettre mon refus, riposta Travis après avoir avalé un énorme morceau de gâteau.

Puis il ajouta en lui adressant un clin d'œil :

— Vous avez probablement intérêt à éviter Donna pendant quelque temps. Elle ne doit guère vous porter dans son cœur en ce moment.

Gwen préféra reposer sa tasse et sa soucoupe, plutôt que risquer de les laisser tomber. Puis elle se leva et se mit à arpenter le salon de long en large.

— Merveilleux ! s'exclama-t-elle. A présent, les gens vont s'imaginer que nous sommes amants !

— Non. J'ai dit à Donna le peu de bien que vous pensez de moi.

— Et elle vous a dit que j'étais folle, n'est-ce pas ?

— A peu près, oui.

Il acheva son rouleau et se lécha les doigts.

— Grands dieux, que c'est bon ! Croyez-vous que vous pourrez en apporter de temps en temps au Rocking D., cet été ?

Gwen se représenta le plaisir retors qu'elle éprouverait si elle venait prendre le café chez Matty et Sebastian. Elle pourrait alors admirer Travis tout à loisir, tandis qu'il se régalerait de ces gâteaux qu'il adorait.

— Pourquoi pas ? répondit-elle. De toute façon, maintenant, les gens vont s'attendre à ce que je passe le plus de temps possible au Rocking D., accrochée à vos basques. On m'appellera « la fille de l'été de Travis ».

— Je ne vois vraiment pas comment vous pouvez vous imaginer une chose pareille ! protesta Travis.

Il but une gorgée de café avant de poursuivre :

— A moins que vous n'ayez décidé de devenir ma « fille de l'été » sans que je ne m'en aperçoive.

— Vous ne voulez pas comprendre ! Vous avez dit à Donna que vous vous intéressez à moi… et vous passez la nuit chez moi ! Dans ces circonstances, aucune femme dans cette ville ne me croira capable de résister à Travis Evans. Elles seront toutes persuadées qu'avant le lever du soleil, je tomberai dans vos bras, que ce soit vrai ou pas.

Il porta sur elle un regard amusé.

— Voulez-vous me faire comprendre que j'ai ruiné votre réputation ?

— Je suppose que vous plaisantez ! Vous n'avez pas ruiné ma réputation, vous l'avez faite ! Je vais faire l'envie de toutes les femmes célibataires du comté de Fremont. Elles feraient n'importe quoi pour se trouver à ma place. Je parie même que certaines d'entre elles préféreraient passer la nuit avec vous plutôt que gagner le jackpot.

— Ah ouais ? dit-il, l'air très content de lui. Par exemple !

— Avant que l'orgueil ne vous étouffe, poursuivit Gwen, j'aime mieux vous prévenir qu'en dépit de tout cela — et peut-être même à cause de cela — je ne coucherai pas avec vous. Les gens en penseront ce qu'ils voudront, mais, lorsque « tout le monde » s'attend à me voir faire quelque chose, je fais généralement le contraire. Mes parents pourront vous le dire.

— O.K., dit-il en reposant doucement sa tasse dans sa soucoupe. Vous avez clairement exprimé votre point de vue.

Puis il lui adressa un long regard pénétrant, avant d'ajouter :

— Tout de même, je voudrais être sûr de vous avoir bien comprise. Je vous attire, mais vous n'aimez pas les conditions que je pose pour faire l'amour, et par conséquent vous décidez de vous abstenir. Ai-je bien saisi ?

Gwen se croisa les mains sur l'estomac, dans l'espoir de se calmer. Chaque fois qu'il la regardait de cette manière, se dit-elle, elle se sentait soudain moins de volonté qu'un champignon.

— Oui, c'est assez bien résumé, répondit-elle.

Travis se pencha, les coudes appuyés sur ses genoux et les doigts croisés — des doigts si souples et sexy qu'elle ne pouvait les regarder sans désir. Elle ne connaîtrait jamais les sensations que de telles mains sauraient éveiller en elle, se dit-elle. Tant mieux !

Il l'observa avec le plus grand calme.

— Je ne vous ai pas crue lorsque vous m'avez dit « non » après la noce. Ni lorsque vous l'avez répété au téléphone. Mais vous avez gagné, Gwen ! J'ai fini par vous croire. Je n'essayerai plus rien avec vous, ni ce soir, ni jamais. Vous m'avez échappé définitivement. Vous pouvez être tranquille.

Etre tranquille ? Comment le pourrait-elle ? Elle avait l'estomac complètement noué à force de lutter... contre les regrets qui l'envahissaient !

— Très bien, dit-elle.

— Effectivement, ç'aurait pu être très bien, dit-il avec regret. Vraiment, Gwen, ç'aurait pu l'être...

Comme si elle ne le savait pas !

— Peut-être devriez-vous... téléphoner dès ce soir à Donna, suggéra-t-elle. A propos du week-end.

Il secoua la tête en souriant doucement.

— Je vous ai déjà expliqué, au sujet des « seconds choix », objecta-t-il.

— Mais...

— Je vois que vous continuez à croire que je peux passer sans problème d'une femme à l'autre. Mais ce n'est pas le cas. Ce n'est pas parce que j'ai décidé de ne plus chercher à vous séduire que je n'en ai plus envie. Cela veut simplement dire que je vais me contrôler. Je ne sais pas combien de temps je vais continuer à vous désirer, mais tant que cela durera, je ne sortirai avec personne d'autre. Je veux jouer franc-jeu avec toutes les femmes.

— Je... je vois !

Elle voyait même très bien. Elle comprenait que Travis avait un sens moral bien plus élevé que ce qu'elle avait toujours imaginé. Il n'obéissait certes pas aux mêmes règles qu'elle, mais il s'y tenait. Ce qui le mettait moralement au-dessus de la plupart des hommes qu'elle avait connus.

Il avait dit qu'il attendrait de ne plus la désirer avant de sortir avec une autre femme, se rappela Gwen. Mais, de son côté, elle se demandait bien comment elle pourrait un jour ne plus le désirer...

Tout en aidant Gwen à faire la vaisselle, Travis fit des efforts désespérés pour ne pas réagir au désir qu'il avait d'elle. C'était le défi le plus terrible qu'il s'était jamais adressé.

Il envisagea de se réfugier dans sa chambre, mais se reprocha aussitôt d'avoir même pu imaginer un comportement aussi lâche. La vaisselle terminée, il emprunta donc à Gwen un roman policier en édition de poche, s'installa sur le divan en velours du petit salon, et tenta de se concentrer sur l'intrigue. Gwen, de son côté, fit un petit feu dans la cheminée, avant de se mettre à travailler sur son métier à tisser, à deux mètres du cow-boy.

Travis avait beau avoir le nez plongé dans son livre, il était conscient de tous les gestes que faisait Gwen. Il avait déjà observé Matty tandis qu'elle tissait, et avait remarqué le rythme régulier de ce travail. Mais il ne s'était jamais avisé que ce rythme pouvait être sexy.

Bientôt, il ne put s'empêcher de lever la tête. Gwen actionnait la pédale du métier à tisser, et son attention fut captée par la flexibilité de sa cheville, la rondeur de ses genoux, le mouvement discret et subtil de ses cuisses. Il s'imagina niché entre elles, et se sentit immédiatement la bouche sèche. Et chaque fil de couleur prenait sa place avec un petit bruit sourd qui lui rappelait... enfin, peu importe ce à quoi cela lui faisait penser !

Il lui vint également à l'esprit qu'il n'avait jamais ainsi partagé un moment de loisir avec une femme de son âge depuis... la puberté. Jusque-là, la plupart de ses activités avec une personne du sexe opposé se résumaient à faire l'amour, à se préparer à le faire, ou bien à se remettre de l'avoir fait. Et pourtant, il lui sembla qu'il pourrait apprécier de passer cette paisible soirée en compagnie de Gwen, tous deux dans la même pièce, mais occupés à des activités différentes. Cependant, il la désirait trop pour avoir le temps d'analyser cette impression, et, bientôt, il ne pensa plus qu'à arracher Gwen de son tabouret, à lui déchirer ses vêtements, puis à lui imposer son propre rythme, tissant autour d'elle sa propre toile de passion.

Chaque fois que le désir d'agir ainsi se faisait trop pressant, il montait dans la chambre de Lizzie, pour vérifier que la petite dormait bien. Et il y monta très souvent...

Il s'apprêtait à le faire une sixième ou septième fois, lorsque Lizzie se mit à tousser, d'une toux rauque bien différente de celle qu'elle avait eue jusque-là. Inquiet, il appela Gwen et grimpa l'escalier quatre à quatre.

Il prit Lizzie dans ses bras et se tourna vers Gwen, qui l'avait suivi de près.

— Son état empire, dit-il.

— C'est vrai qu'elle a la gorge prise, reconnut Gwen. Cela peut arriver la nuit.

— Il faut l'emmener chez le docteur ! s'écria Travis, proche de la panique.

La petite toussait si fort qu'il craignait que quelque chose ne se décroche à l'intérieur de son corps. Si quoi que ce soit lui arrivait, il ne s'en remettrait pas, pensa-t-il.

— Peut-être, répondit Gwen, mais il s'est mis à pleuvoir, et, à mon avis cela va donner du verglas. Il vaut mieux essayer quelque chose avant de l'emmener dehors par cette pluie froide.

— Que pouvons-nous essayer ? demanda Travis, en remerciant sa bonne étoile de ne pas se trouver seul au ranch avec Lizzie.

— Le bébé d'un couple de mes hôtes a eu une toux de ce genre. Ils se sont enfermés dans la salle de bains avec l'enfant et ont fait couler l'eau chaude de la douche. C'est devenu un véritable sauna là-dedans. Ce n'était pas excellent pour mon papier mural, mais cela a fait des merveilles sur sa toux.

— Alors, faisons-le ! Je vous offrirai un autre papier mural.

— Je fais couler la douche, déclara Gwen.

Puis, se tournant vers lui, elle ajouta :

— Il va faire très chaud et très humide. Il faut lui enlever ses vêtements, sauf ses couches. Et vous, il vaut mieux que vous ôtiez votre chemise.

— Entendu.

Il reposa Lizzie dans son lit et enleva si vite sa chemise que les boutons-pressions claquèrent comme des chevrotines. S'il n'avait pas été aussi inquiet, il en aurait bien ri : cela faisait une éternité qu'il attendait que Gwen lui demande d'ôter sa chemise ! Puis il déshabilla Lizzie en quelques secondes, et l'emmena en direction de la salle de bains, dont Gwen venait de sortir. Elle avait déjà les cheveux humides, et son chemisier collait à ses seins.

— Je vais lui chercher du jus de pomme, dit-elle. Lorsque vous la sortirez de là, elle aura soif.

Travis se trouvait quelque peu rassuré. Peu de gens lui inspiraient confiance, mais il sentait qu'il pouvait faire confiance à Gwen. Il lui semblait que quelque chose avait bougé au centre de sa poitrine, comme si une barrière venait de tomber.

Furtivement, il l'embrassa sur la bouche.

— Cela n'a rien d'une tentative de séduction, dit-il. Je voulais seulement vous remercier, ajouta-t-il en entrant avec Lizzie dans le bain de vapeur, avant de refermer la porte derrière lui.

9.

En gagnant la cuisine, Gwen savoura le baiser « de remerciement » de Travis. A présent, elle le savait homme de parole, et, à son avis, son baiser n'avait rien d'un geste déplacé. Même si elle en conservait jalousement le goût dans la bouche…

Il était tout à fait normal qu'un homme comme lui montre sa gratitude par un baiser, pensa-t-elle. Il ne pouvait en aucun cas se contenter d'un bécot amical. Avec lui, c'était tout de suite le grand jeu, se dit-elle encore en versant le jus de pomme dans le biberon et en remettant la tétine. Mais cela ne voulait pas dire qu'il trahissait la promesse qu'il avait faite de ne plus chercher à la séduire. D'ailleurs, il avait lu pendant deux heures dans la pièce où elle-même se trouvait, et il ne s'était jamais comporté de façon inconvenante. De toute évidence, elle avait réussi à le convaincre qu'en aucun cas elle ne ferait l'amour avec lui. Ce n'était pas trop tôt, se dit-elle.

Dommage, pensa-t-elle aussitôt.

Non, pas dommage ! se reprit-elle vivement. Au contraire, c'était très bien. Elle n'était pas de ces femmes qui, après avoir fait l'amour, déclarent avoir été séduites contre leur volonté et rejettent toute la responsabilité sur leur partenaire, en se proclamant victimes de ses irrépressibles pulsions sexuelles. En agissant ainsi, elles ne faisaient que démontrer leur propre faiblesse, et Gwen jugeait une telle attitude indigne d'une femme du XXIe siècle.

Car elle se targuait d'être une femme moderne. Mais elle n'avait encore jamais vu Travis torse nu, serrant Lizzie contre sa poitrine !

Elle ne s'était pas du tout préparée à lui voir des biceps et des pectoraux si puissants et si harmonieusement développés. Et recouverts de la quantité idéale de poils : assez pour exciter les seins nus d'une femme, pensa-t-elle, mais pas assez pour qu'elle ait l'impression de faire l'amour à un animal à fourrure.

A cette vue, elle avait été aussitôt prise d'un désir presque irrésistible de mordre tous ces muscles à belles dents. De s'approprier ce corps. De l'épouser.

Fantasmes ridicules, se reprocha-t-elle une fois remontée à l'étage. Travis n'avait aucune intention d'épouser qui que ce fût. Evidemment, ses instincts la trahissaient, se dit-elle.

Un filet de vapeur s'échappait par-dessous la porte de la salle de bains. Elisabeth toussa de nouveau, mais, cette fois, sa toux était moins rauque. La vapeur lui faisait de l'effet, pensa Gwen en frappant légèrement à la porte.

— Tout va bien ? demanda-t-elle.

— Je crois que le traitement est efficace, répondit Travis, en criant pour couvrir le bruit de la douche. Votre papier mural, par contre, se porte de moins en moins bien. Combien de temps devons-nous rester encore, à votre avis ?

— Au moins quelques minutes de plus. Il faut que la toux diminue encore. Peu m'importe le papier mural, mais vous, vous tenez le coup ? Il ne vous pousse pas encore des palmes ?

Pour toute réponse, il se mit à coasser comme une grenouille, et Gwen ne put s'empêcher de rire.

— Je vais bientôt prendre le relais, dit-elle. J'ai apporté son jus de pomme.

— Entendu. Restez bien à proximité.

— Ne vous inquiétez pas.

Comme c'était agréable de sentir qu'on avait besoin d'elle ! pensa Gwen. Elle alluma la lampe de chevet de la chambre d'Elisabeth et regarda par l'une des fenêtres. Comme il fallait s'y attendre, la pluie se mêlait à présent de neige. Manifestement, l'été n'avait pas encore atteint les Rocheuses, songea Gwen. Sauf en cas de nécessité absolue, il était donc impensable de faire sortir Elisabeth. Le verglas rendait tout trajet périlleux, même pour aller chez le Dr Harrison, quelques rues plus loin. Mais elle-même et Travis sauraient soigner la petite, se dit-elle, pleine de confiance.

Elle se dirigea vers le berceau, dans lequel elle prit le singe de chiffons. Puis elle s'assit sur le grand lit à baldaquin et fixa du regard les yeux ronds de la poupée. Matty l'avait achetée le lendemain même du jour où Elisabeth leur avait été confiée, à elle-même et à Sebastian. Le petit singe était devenu le jouet favori du bébé.

Gwen se souvint de la lumière qui brillait dans les yeux de Matty lorsqu'elle lui avait raconté comment Sebastian avait utilisé le singe comme marionnette, pour jouer avec Elisabeth. Matty lui avait répété que son cœur fondait chaque fois qu'elle voyait Sebastian s'occuper de la petite. C'était exactement ce qu'éprouvait Gwen à présent. A cela près que Gwen ne voulait pas laisser fondre son cœur...

Le bruit de la douche cessa. Sans doute Travis avait-il décidé qu'Elisabeth avait besoin d'une petite pause, se dit Gwen, en espérant qu'il aurait l'idée d'envelopper la petite dans une serviette avant de sortir de la salle de bains, pour lui éviter d'attraper froid.

— Qu'en penses-tu, Bruce ? demanda Gwen en prenant la poupée sur ses genoux. Est-ce que nous soignons ta maîtresse comme le voudraient Matty et Sebastian ?

— Je le crois, dit Travis dans l'embrasure de la porte.

Gwen leva les yeux. Evidemment, il était resté torse nu. Sa peau était luisante d'humidité, et des gouttes de vapeur condensée s'accrochaient aux poils de son torse. Ses cheveux s'étaient transformés en une toison de boucles, ce qui ajoutait encore à son charme. Il avait emmitouflé Elisabeth dans une serviette comme un bébé Peau-Rouge : seul son petit visage en émergeait. Ils formaient un touchant tableau, et Gwen sentit son cœur se réchauffer... Travis avait l'air d'un si bon père !

La petite toussa, mais une seule fois, et l'inquiétant son rauque avait presque disparu.

— Elle va mieux, dit-il en lui essuyant le nez avec un mouchoir en papier. Mais je crois qu'elle a besoin d'un peu de jus de pomme.

Gwen posa le petit singe en chiffons et tendit les bras :

— Je le lui donne. Mais vous n'avez pas froid ? Vous devriez peut-être prendre une serviette et vous essuyer.

Je vous en prie, prenez une serviette et essuyez-vous !

— Bonne idée, dit-il en déposant Elisabeth dans ses bras.

Sa poitrine passa à quelques centimètres de la bouche de Gwen, qui fut prise d'une envie folle d'embrasser et de mordiller chaque centimètre carré de ce torse si tentant. Puis elle fit l'erreur monumentale de regarder tout droit dans ses yeux aux reflets d'or.

Sous les cils que le bain de vapeur avait sertis de gouttes, les yeux de Travis brillaient de passion contenue. Elle eu beaucoup de peine à avaler sa salive… Elle désirait tellement cet homme ! Comme ce serait bon de tendre ses lèvres vers les siennes, se dit-elle, et de le supplier de lui faire l'amour jusqu'à la folie…

Le regard de Travis se fit encore plus brûlant. Il suffisait à Gwen de prononcer un seul mot, et…

— Le jus de pomme est sur la commode, dit-elle.

— Parfait.

Il tourna le dos à Gwen, s'en saisit, et tendit le biberon à la jeune femme. Elisabeth but avec avidité.

Travis s'éclaircit la gorge.

— C'est bon signe d'en avoir tant envie, pas vrai ? dit-il.

Il toussa légèrement avant de rectifier :

— Je voulais dire Lizzie, avec le biberon.

De nouveau, Gwen déglutit difficilement. Et il y avait de quoi, pensa-t-elle.

— Oui, un très bon signe, répondit-elle en l'observant à la dérobée.

C'était elle qu'il fixait des yeux, non le bébé. Et le feu qui brillait dans ses yeux témoignait de l'intensité de sa passion. Mais, à l'instant même où leurs yeux se rencontrèrent, Gwen détourna le regard.

— Il fait un temps de chien, dit-elle.

— Pour sûr.

— Dès qu'elle aura fini son biberon, je l'emmènerai à mon tour dans le sauna. Ensuite, elle dormira sans doute un bon moment.

— Ce serait une bonne chose, approuva Travis.

— Oui.

Hum... Ce serait certainement une bonne chose pour Elisabeth, se dit Gwen. Mais pour elle, ce serait surtout dangereux... Elle n'osa pas lever de nouveau les yeux, et dit la première chose qui lui venait à l'esprit.

— Avez-vous déjà noté que la couleur du jus de pomme rappelle celle de la bière ? demanda-t-elle.

On ne pouvait imaginer réflexion plus stupide, pensa-t-elle en fermant les yeux de honte.

— Je ne crois pas, répondit-il d'un ton sérieux, comme si la question avait réellement de l'importance à ses yeux. Mais, maintenant que vous m'en avez fait la remarque, je ferai très attention la prochaine fois que j'irai chercher du jus de pomme. Je ne voudrais pas que Lizzie prenne une cuite à cause de moi.

Gwen continuait à se reprocher d'avoir lancé cette conversation ridicule. Pourtant, elle ne put s'empêcher de la poursuivre :

— Je n'ai pas pensé à vous offrir de la bière au dîner. Si vous en voulez maintenant, j'en ai dans le réfrigérateur.

— Merci, mais j'ai décidé de renoncer à l'alcool pendant toute la semaine. Je ne veux pas risquer d'avoir l'esprit brumeux tant que j'aurai la charge d'Elisabeth.

— Vous agissez de façon très... responsable, dit-elle.

— Vous avez l'air surprise, fit-il remarquer d'un ton légèrement irrité.

Gwen leva vivement les yeux.

— Oh ! Je suis désolée ! C'est seulement que...

— ... qu'on ne s'attend pas à ce qu'un type dans mon genre renonce à sa ration hebdomadaire de bière ? demanda-t-il.

Debout, la dominant de toute sa taille — alors qu'elle était assise et donnait le biberon à la petite —, Travis avait tout d'un dieu vengeur. Ses yeux lançaient des éclairs de colère — et de désir — tandis qu'il poursuivait :

— Comme si quelques canettes pouvaient signifier quoi que ce soit pour moi en comparaison du bien-être de Lizzie ! s'exclama-t-il. Apparemment, vous n'avez pas encore compris que je ferais n'importe quoi pour cette enfant !

Gwen soupira profondément.

— Je m'excuse, dit-elle. Je l'avais compris, mais je me sens nerveuse, ce soir. J'aimerais que vous mettiez une chemise.

Pendant quelques instants, Travis eut l'air de ne pas comprendre.

— Une chemise ? répéta-t-il. Oh ! Une *chemise* !

— S'il vous plaît.

Il approuva de la tête.

— J'en ai pour une seconde, dit-il en se dirigeant vers la porte de la chambre.

— Prenez votre temps, dit-elle. Je peux m'occuper d'Elisabeth pendant quelques minutes. *Mais je ne peux pas m'occuper de vous.*

Travis entra dans sa chambre et se dirigea à pas lents vers le lit sur lequel il avait jeté ses affaires. Il prit une chemise, sans se presser, comme Gwen l'avait suggéré. Ils avaient besoin de décompresser, tous les deux, se dit-il. Il se demandait vraiment comment il allait pouvoir survivre à une telle épreuve...

Jamais il ne s'était trouvé dans une situation où lui et sa partenaire brûlaient de faire l'amour, mais où l'un d'eux, en l'occurrence cette dernière, hésitait, l'esprit rempli de doutes. Jusque-là, ses partenaires n'avaient jamais eu la moindre hésitation en sa présence, songea-t-il.

C'était bien là ce qui distinguait Gwen des autres femmes, se dit-il pour la première fois. Cette pensée inattendue le stupéfia, mais il la savait juste. Depuis qu'il s'occupait de Lizzie, toutes sortes de désirs nouveaux avaient surgi, comme celui de vivre dans un endroit fixe, où il serait vraiment chez lui, ou l'envie de se marier et de fonder une famille. Sans oublier le désir de passer sa vie avec une seule femme... Une femme qui ne serait *pas* sa mère.

Mais il savait que celle-ci ne pourrait jamais s'entendre avec une autre femme. Elle était aussi exigeante qu'un cheval de selle trop gâté, aussi autoritaire que la jument la plus âgée du ranch, aussi jalouse de son territoire qu'une maman puma. Le père de Travis avait toujours donné à Luann ce qu'elle voulait ; aussi exigeait-elle toute l'attention de son fils dès l'instant où il arrivait chez elle. De plus, elle adorait sa petite maison dans l'Utah, au milieu de nulle part, et avait juré qu'elle ne la quitterait jamais.

A cause de la promesse qu'il avait faite à son père, Travis devait donc renoncer au mariage dans l'immédiat — et peut-être pendant bien longtemps encore...

Plus que tout autre chose, Gwen désirait un époux, se dit Travis. Il se mit à envier le type qui aurait le privilège de la prendre pour femme. Elle serait pour ce veinard une sacrée épouse, une sacrée amante, et une sacrée mère pour leurs enfants, pensa-t-il encore. Il jugea préférable de ne pas s'appesantir sur ces évocations, de crainte de mettre quelque peu en péril son équilibre mental. Il rentra sa chemise dans son pantalon et retourna dans la chambre de Lizzie.

— Elle s'est remise à tousser pendant que je changeais ses couches, dit Gwen. Je vais la replonger dans le bain de vapeur.

L'anxiété se lut sur le visage de Travis, tandis que la toux rauque de Lizzie reprenait.

— Que puis-je faire ? demanda-t-il.

— Faites-nous du café, dit Gwen. J'ai l'impression que nous allons passer la majeure partie de la nuit avec elle.

— Il est peut-être temps d'aller chez le Dr Harrison, suggéra-t-il.

— Vous voudriez l'emmener sur cette route glissante ? s'inquiéta Gwen.

Travis hésita.

— Nous pourrions demander au docteur de venir, dit-il.

— Effectivement, répondit-elle, mais nous ne le ferons que si les bains de vapeur deviennent inefficaces. Les parents qui ont administré ce traitement à leur bébé disent qu'il faut généralement se résoudre à passer une nuit sans sommeil.

— Je déteste la voir malade. Je peux tout supporter, sauf ça.

— Je le savais, assura Gwen avec un large sourire. Vous êtes père, maintenant.

— Je parie que cet aspect-là de la paternité vous vieillit avant l'heure, dit-il en faisant la grimace. Je vais faire le café, ajouta-t-il en se dirigeant vers l'escalier. Il entendit la porte de la salle de bains se fermer derrière lui, et la douche se remettre à couler.

Lizzie l'aiderait à se contrôler vis-à-vis de Gwen, pensa-t-il en préparant le café. Mais, si son état empirait, ne fût-ce que légèrement, il n'hésiterait pas à faire venir le Dr Harrison…

Travis n'appela jamais le Dr Harrison. Certes, il faillit le faire deux ou trois fois. Mais, finalement, vers 4 heures du matin, il sembla que Lizzie avait franchi le cap difficile. Elle avait moins chaud, et sa toux s'espaçait grandement. Mieux, c'était à présent une toux normale, bien différente de cette toux rauque qu'il en était venu à détester.

— Voyons ce qui se passe si nous la laissons couchée, dit Gwen en déposant délicatement le bébé dans son berceau, sur le ventre.

Lizzie battit un instant des cils, puis ferma les yeux. Sa respiration était presque normale.

— Dieu soit loué ! murmura Travis, que l'inquiétude et l'excès de caféine avaient tendu à l'extrême.

— Je crois que nous avons enfin réussi, dit Gwen. Sortons un instant de la chambre pour voir si elle ne se réveille pas.

— Allez-y. Moi, je la surveille encore un peu. Je veux m'assurer que sa toux ne reprendra pas.

Ils étaient déjà sortis de la chambre un nombre incalculable de fois. Mais chaque fois, à peine arrivés en bas de l'escalier, ils avaient entendu Lizzie tousser de nouveau, et avaient fait demi-tour.

Auparavant, ils s'étaient relayés dans la salle de bains. Bien que Gwen lui ait rappelé de remettre sa chemise en sortant du bain de vapeur, il avait l'impression de devenir une créature des marais. Pour sa part, son hôtesse était toujours restée habillée, et, chaque fois qu'elle était sortie de la salle de bains avec son chemisier collé sur sa poitrine, il avait dû détourner le regard afin de rester maître de lui-même.

— Vous voulez encore du café ? murmura-t-elle, déjà dans le couloir.

— Certainement pas ! Ce que j'ai bu devrait me permettre de rester éveillé pendant une semaine !

— Je pourrais vous faire un peu de camomille.

Il la regarda, debout dans l'embrasure de la porte, si désireuse de se montrer utile. Puis il répondit, d'un ton adouci par la gratitude :

— Merci. Je ne suis pas amateur de tisanes !

— Alors, que diriez-vous d'un bon chocolat chaud ? proposa-t-elle en souriant.

— Pourquoi pas ?

Seigneur ! Elle était vraiment belle, se dit-il. La vapeur avait lissé ses cheveux, qui tombaient à présent sur ses épaules et ses seins adorables. Pour sûr, ce qu'il voulait d'elle, se dit-il, ce n'était pas du chocolat chaud.

— Je vous attends en bas, dit-elle.

Il la regarda partir, brûlant du désir de la prendre dans ses bras.

A chaque marche qu'elle descendait, Gwen sentait augmenter en elle la certitude qu'elle allait faire l'amour avec Travis. Enfin, s'il voulait bien d'elle. Mais il y avait de fortes chances pour que ce fût le cas, se dit-elle.

Son infatigable dévouement pour Elisabeth, et les heures interminables qu'il lui avait consacrées pendant la nuit avaient eu raison de ses dernières réticences. A présent, elle ne pouvait s'empêcher d'admirer Travis. Quand on a la chance d'avoir sous son toit un homme exceptionnel et merveilleux, se dit-elle, il faudrait être vraiment stupide pour manquer une si belle occasion.

Il avait soutenu qu'il ne pourrait rien lui donner d'autre que du plaisir. Mais Gwen ne le croyait plus. Ce soir, elle avait sondé toute la profondeur de son caractère, sa patience, son courage... et son amour. S'il pouvait se donner entièrement à un enfant, il pouvait en faire autant avec une femme, se dit-elle. Avec la femme qui lui convenait...

Et Gwen ne doutait pas qu'elle était cette femme-là. Ayant passé avec lui tant d'heures harassantes à soigner Lizzie, elle savait à son sujet ce que toutes les autres femmes ignoraient. Elle savait ce qu'il désirait réellement, au fond de lui-même, même s'il n'en était pas conscient. On donne si souvent aux autres ce qu'on souhaite pour soi-même, se dit-elle, sachant ce qu'il avait donné à Lizzie...

Avec soin, elle prépara le chocolat... et attendit.

S'il avait le moindre bon sens, se dit Travis, il ne descendrait pas. Même s'il se sentait trop excité pour dormir, il s'étendrait quelque temps sur ce lit à baldaquin aux draps froncés, et s'efforcerait de se reposer.

Il en était arrivé à un point où, à ses yeux, la seule chose qui rendait la vie digne d'être vécue, c'était faire l'amour avec elle - peut-être une réaction normale pour deux parents qui venaient de s'inquiéter toute la nuit pour leur enfant. Quel réconfort ce devait être pour eux de pouvoir se tourner l'un vers l'autre et célébrer ensemble la fin de leurs tourments !

Il s'approcha du berceau et tendit l'oreille. La respiration calme et régulière de Lizzie acheva de dissiper son anxiété. Vraiment, elle allait mieux, se dit-il. Beaucoup mieux. Ses joues n'étaient plus que légèrement roses. Rien à voir avec leur aspect congestionné des heures précédentes.

En une seule nuit, il s'était occupé de Lizzie bien plus que Matty et Sebastian ne l'avaient jamais fait, se dit-il. Cette pensée l'emplit de fierté, et, d'un pas léger, il sortit de la chambre et descendit l'escalier.

Une bonne odeur de chocolat chaud s'échappait de la cuisine, et, lorsque Travis entra, Gwen lui tournait le dos, remuant le contenu d'une grande casserole.

— Lizzie va mieux, annonça-t-il d'un ton joyeux. J'en suis certain.

Gwen éteignit le feu sous la casserole, et se retourna. Son sourire était si lumineux qu'il eut l'impression de recevoir un choc. Il fut pris de vertige, se sentant incapable de prononcer une parole.

Sans doute la désirait-il trop, se dit-il. Mais, quoi qu'il arrive, il ne lui ferait pas de mal.

Elle parla, mais ses oreilles bourdonnaient au point qu'il n'entendit pas un mot. Elle s'approcha de lui avec dans les yeux la lumière la plus merveilleuse qui fût, et lui posa doucement les deux mains sur la poitrine.

— Gwen, je pense que vous ne devriez pas..., commença-t-il d'une voix rauque, comme si c'était lui le malade.

— Je pense que si, l'interrompit-elle.

Elle lui passa les mains derrière la nuque et l'embrassa.

10.

Travis était irrésistible. Gwen n'aurait pas pu davantage s'empêcher de l'embrasser qu'arrêter de respirer. Lorsqu'elle l'avait vu entrer dans la cuisine, rayonnant de bonheur parce que le bébé qu'il avait soigné toute la nuit allait enfin mieux, sa joie simple lui avait paru la chose la plus séduisante au monde.

A peine avait-elle posé les lèvres sur les siennes qu'il la prit par les épaules et la repoussa.

— Hé ! Voyez-moi ça ! bredouilla-t-il. Je sais bien que vous vous sentez aussi heureuse que moi, mais…

— Je me sens reconnaissante, dit-elle d'une voix rauque.

— Ouais, moi aussi. Mais ce qu'il y a, c'est que je ne suis pas sûr de pouvoir me contrôler, comme ça, tout de suite.

— Je vous suis *très* reconnaissante, insista-t-elle.

Elle voulait désespérément se trouver tout contre lui, le toucher… Toucher ce qu'il était essentiellement. Elle essaya de se rapprocher.

Il lui serra plus fort les épaules, la repoussant encore.

— Je sais, dit-il d'une voix de plus en plus rauque. Moi aussi, je vous suis reconnaissant, mais… si vous m'embrassez, je ne pourrai pas m'empêcher de…

— Oui ! s'écria-t-elle, imaginant que ses mains relâchaient ses épaules et partaient à l'exploration de tout son corps.

Tout son corps *nu*. Oh, oui !

Les yeux de Travis s'embrasèrent.

— Sapristi, Gwen, ce n'est pas un jeu !

— Je sais !

Il lui scruta le visage, comme s'il cherchait à comprendre.

— Vous voulez que nous…

— Oui !

— Mais pourquoi ?

— Je vous l'ai dit, je vous suis reconnaissante, répondit-elle, tremblant de désir. Reconnaissante d'avoir un homme si bon sous mon toit.

Un instant, les yeux de Travis reflétèrent la lutte intense que se livraient en lui sa passion, et la contrainte qu'il s'imposait.

— Je ne suis pas bon. Vous avez eu raison de dire que je donnais du plaisir aux femmes pour les obliger à accepter mes règles du jeu. Ce n'est pas juste.

Elle soupira longuement, toute frissonnante.

— Vous ne me donnerez pas que du plaisir !

Son regard d'or se teinta d'inquiétude.

— Mais je ne peux pas…, commença-t-il.

— Si ! coupa-t-elle.

Derrière l'hésitation de Travis, Gwen sentait clairement son désir brûlant. Un désir qu'elle était seule à pouvoir satisfaire.

— Je ne vous arracherai aucune promesse, car je sais qui vous êtes, Travis. Et je sais ce qu'il vous faut…

Il ferma les yeux.

— Vous ne savez rien du tout, protesta-t-il faiblement. Ne faites pas cela. Vous allez vous faire du mal.

— Maintenant que je vous ai vu soigner Lizzie, je suis prête à prendre ce risque, répliqua Gwen.

Elle prit son visage dans ses deux mains.

— Faites-moi l'amour, murmura-t-elle.

Il frissonna. Enfin, lâchant ses épaules, il lui prit la main, la porta à ses lèvres et l'embrassa tendrement.

Gwen sentit les battements de son cœur s'accélérer, tandis qu'elle attendait sa réponse. Mais elle ne doutait pas que celle-ci serait positive. Après tout, se dit-elle, sa sexualité était très puissante. Et elle venait de lui offrir ce qu'il désirait plus que tout depuis les noces de Matty et Sebastian. Il ne pourrait pas davantage lui résister qu'elle, et elle allait lui montrer ce que pouvait être l'amour…

Mais, lorsqu'il ouvrit les yeux, il y avait une lueur de tristesse dans son regard.

— Non, répondit-il d'une voix tendue.

Puis il s'éclaircit la gorge, avant d'ajouter :

— Je m'étonne moi-même d'avoir le courage de dire cela, mais c'est « non ».

Il lui lâcha les épaules et recula d'un pas.

Ce refus inattendu fit à Gwen l'effet d'un coup de couteau en plein cœur.

— Mais pourquoi ? s'écria-t-elle.

— Parce que je vous aime trop.

Voyant la lumière qui brûlait dans ses yeux, elle comprit qu'il ne mentait pas, et sa douleur disparut d'un coup.

— Je comprends, dit-elle, de nouveau pleine d'espoir.

— C'est le mieux que nous puissions faire, dit-il en se reculant encore.

— Peut-être…

Gwen serra les lèvres pour s'empêcher de sourire.

— Bon, alors, je… je remonte, dit-il. Vous… vous n'avez besoin de rien ?

— Tout va bien, répondit-elle en ponctuant sa réponse d'un hochement de tête.

Puis elle ajouta pour ne pas paraître trop désinvolte :

— Je suis déçue, mais je m'en remettrai.

— Très bien.

Il avait l'air si malheureux en se dirigeant vers l'escalier, se dit-elle…

Il gravit les marches comme s'il allait à sa perte.

Et c'était exactement ce qu'il faisait, pensa Gwen avec un large sourire, tout en se précipitant dans sa salle de bains. Une douche rapide, une lotion aux parfums suaves, quelques touches d'eau de Cologne sur divers points stratégiques de son corps, et la voilà prête. Elle enfila un peignoir de soie rouge qui lui découvrait les épaules, mais lui tombait jusqu'aux pieds, et prit dans le tiroir de sa table de toilette une mystérieuse petite boîte qu'elle glissa dans la poche de son peignoir.

Rougissant de désir, elle gravit prestement l'escalier.

Lorsqu'il entendit couler la douche du rez-de-chaussée, Travis ne put s'empêcher d'imaginer l'eau ruisselant sur le doux corps de Gwen. Il s'efforça de penser à autre chose.

Il parcourut mentalement les kilomètres de clôture entourant le ranch de Matty et Sebastian. Il revécut le dernier rassemblement de bétail qu'il y avait effectué, l'année dernière : l'incessante pluie glaciale en avait fait l'une des expériences les plus désagréables qu'il eût jamais vécue dans les Rocheuses.

Mais l'évocation de cette pluie le ramena à la douche que prenait Gwen, et il ne tarda pas à se demander de quelle couleur étaient ses tétons. Il imagina que du fait de ses ascendances indiennes, ils étaient très certainement rose foncé, se détachant sur sa peau couleur de miel.

Si la douche était chaude et la pression assez faible, ils seraient au toucher doux comme le velours et souples comme des pétales de rose, prêts pour ses caresses. Mais si la pression était forte, et si elle avait pris une douche froide pour calmer l'ardeur de son corps, ils seraient dressés et durs, prêts à être mordillés ou titillés par sa langue...

Il passa sa langue sur ses lèvres sèches et s'étendit sur le lit de sa chambre d'hôte... avec une érection assez forte pour transpercer la cloison. Jamais il ne pourrait trouver le sommeil dans de telles conditions. De toute façon, il n'espérait guère dormir. Lorsqu'il avait réussi à sortir de la cuisine sans prendre Gwen dans ses bras, il avait accompli l'exploit le plus difficile de toute sa vie, pensa-t-il. Ayant eu la force de ne pas étreindre la jeune femme, il aurait sans doute aussi le courage de rester dans sa chambre jusqu'à l'aube... Et puis il n'avait pas pris de préservatif, puisqu'il avait promis à Gwen de ne pas chercher à coucher avec elle si elle le laissait séjourner chez elle, avec Lizzie.

Certes, ils pourraient toujours passer une nuit merveilleuse ensemble, en s'arrangeant pour ne pas risquer de faire un enfant, se dit-il. Il imaginait toutes les sensations qu'ils pourraient se donner réciproquement, son goût, le contact de sa bouche sur lui... Mais il ne connaîtrait rien de tout cela, pensa-t-il, puisqu'il ne quitterait pas sa chambre. En tout cas, il ne descendrait certainement pas au rez-de-chaussée.

L'aube... Il tiendrait sans doute jusque-là, songea-t-il. Puis il conduirait Lizzie chez le Dr Harrison, afin qu'il confirme sa guérison, avant de retourner au ranch. Maintenant que le danger était passé, il saurait bien se débrouiller tout seul avec elle. Ouais, se dit-il, il n'avait rien d'autre à faire qu'à attendre l'aube... en se tenant le plus éloigné possible du lit de Gwen !

Car faire l'amour avec elle serait suicidaire, se répétait-il. Le lien qui les unissait était déjà plus fort que tout ce qu'il avait éprouvé jusque-là avec les autres femmes, et, s'ils ajoutaient à cela une relation sexuelle, nul ne savait jusqu'où cela les mènerait...

Il s'étendit sur le dos, sentant sur son sexe la douce caresse du drap. Peut-être n'aurait-il pas dû se déshabiller complètement avant de se coucher, se dit-il. Mais il avait toujours préféré dormir nu, et n'avait pas songé à changer ses habitudes. Depuis l'âge de quinze ans, il ne s'était jamais retrouvé seul au lit avec une érection. Certes, avant cela, il utilisait une certaine méthode pour se sortir de ce genre de situation, se souvint-il en faisant la grimace. Une méthode à laquelle il avait cru ne plus jamais avoir à recourir... Mais son problème devenait très douloureux — si douloureux qu'il avait l'impression d'avoir reçu un coup de pied - et il n'était pas question de prendre une douche froide, car il ne voulait pas prendre le risque de réveiller Lizzie en faisant couler de l'eau juste à côté de sa chambre.

Combien de temps allait donc durer ce calvaire ? se demanda-t-il. Il aurait même du mal à entrer dans le cabinet du Dr Harrison... Il n'y avait donc malheureusement qu'un seul remède à cette douloureuse situation, pensa-t-il en se sentant redevenir adolescent. Avec un soupir résigné, il écarta les couvertures et entoura de ses doigts le mât vigoureux qui se dressait au centre de son corps. Il gémit lorsqu'il pressa l'extrémité sensible du gland. La douce main de Gwen eût été mille fois préférable à la sienne, durcie par les cals, songea-t-il. Mais le prix à payer eût été beaucoup trop élevé.

S'efforçant de s'imaginer dans les bras de Gwen, il ferma les yeux et commença une lente caresse ascendante.

Ce fut alors que l'escalier grinça.

Le cœur battant, il stoppa sa caresse à mi-chemin. Gwen voulait probablement voir comment se portait le bébé, se dit-il. Il demeura étendu sur son lit, totalement immobile, son sexe tendu à l'extrême dans sa main, espérant entendre un deuxième grincement, qui lui indiquerait que Gwen pénétrait dans la chambre de Lizzie.

Au lieu de cela, la porte de sa propre chambre s'ouvrit.

La silhouette de Gwen apparut dans la lumière du couloir. La jeune femme ne pouvait certainement pas le voir tant que ses yeux ne se seraient pas adaptés à l'obscurité. Déjà, son parfum parvenait jusqu'à lui, un mélange des plus érotique de savon de luxe, d'eau de Cologne et de femme excitée... Peut-être voulait-elle seulement s'assurer qu'il dormait, pensa-t-il en détachant le plus lentement possible ses doigts de son sexe dressé. Peut-être...

Ce qui suivit lui coupa presque le souffle. Sans bruit, elle entra, referma la porte, et se dirigea droit vers le lit, accompagnée de son merveilleux parfum. La gorge nouée, il s'efforça de parler le plus naturellement possible :

— Lizzie... va bien ? demanda-t-il d'une voix étrangement éraillée.

— Oui.

— Tant mieux.

Les persiennes laissaient passer juste assez de lumière pour révéler son peignoir très léger, serré à la taille. Elle ne pouvait être venue dans sa chambre que pour une seule raison, et, le ciel lui pardonne, il n'aurait plus du tout la force de la repousser...

— Je ne vous vois pas très bien, dit-elle.

— Tant mieux ! répondit-il, décidé à ne pas bouger d'un millimètre, au cas où il se serait mépris sur les intentions de la jeune femme.

— Pourquoi cela ? demanda-t-elle d'une voix douce.

— Je vous choquerais probablement.

La voix de Gwen se fit basse et sensuelle.

— Parce que vous êtes nu ? s'enquit-elle.

— Il y a de cela, répondit-il.

— Et... dur ? demanda-t-elle, un peu haletante.

— Il y a de cela aussi.

Il semblait à Travis que c'était son corps tout entier qui était tendu et frémissant à l'extrême. Et qui implorait sa délivrance...

— Je dois pouvoir vous aider, dit-elle en se défaisant de son peignoir, qu'elle laissa glisser sur le tapis persan.

Il sentit sa gorge se nouer. Même dans la pénombre, Gwen avait de toute évidence un corps superbe. Sa poitrine était aussi généreuse qu'il l'avait imaginé, et ses tétons étaient légèrement dressés, comme pour inviter sa bouche avide. Sa taille fine s'évasait gracieusement vers des hanches et des cuisses qui semblaient faites pour câliner un homme… ou donner naissance à un enfant.

— Enfin, si vous le voulez bien, ajouta-t-elle d'une voix torride. A moins que vous ne me repoussiez d'un geste sublime.

— Personne n'est saint à ce point, Gwen.

Elle s'approcha du lit et baissa les yeux vers lui.

— Je veux vous voir, dit-elle.

— Moi aussi.

Il tendit le bras vers la lampe de chevet.

— Un instant, dit-elle en se dirigeant vers la fenêtre.

Elle leva le bras pour fermer les persiennes, et la beauté de sa silhouette nimbée de lumière argentée lui coupa le souffle. Lorsque enfin il put allumer la lampe, il lui caressa doucement les seins du regard, avant de descendre lentement jusqu'aux boucles brunes entre ses cuisses.

— Ah, Travis, dit-elle en le caressant à son tour des yeux. Vous m'attendiez ?

— Hélas, non, répondit-il, haletant. Ecoutez, il faut que je vous dise que je n'ai pas de…

— Moi, j'en ai. Dans la poche de mon peignoir.

Il secoua la tête, émerveillé.

— Ce ne peut être qu'un rêve, dit-il.

— Parfois, les rêves se réalisent, répliqua-t-elle.

Elle posa le genou sur le lit et se pencha sur lui. Ses seins bougeaient lentement au rythme de ses mouvements.

— Jamais je n'avais fait un rêve aussi merveilleux ! dit-il.

— Je sais. Moi non plus.

Elle se pencha et posa ses lèvres sur les siennes.

— Si c'est un rêve, dit-il en glissant la main sur la nuque de la jeune femme, ne me réveillez pas.

— Je veux seulement vous aimer, murmura-t-elle.

Elle l'embrassa, et Travis eut toutes les peines du monde à se contenir. Le mouvement de ses lèvres était plus éloquent qu'un grand discours. En gémissant, il enfonça sa langue jusqu'au plus profond de sa bouche, lui disant ainsi, à son tour, tout le bien qu'il pensait d'elle.

Puis il accueillit ses seins dans ses mains, et un frisson de désir le parcourut.

— Maintenant ! dit-il d'une voix vibrante, mais douce. Je veux…

— Pas encore…

Elle referma les doigts sur son pénis, exactement comme il s'était imaginé qu'elle le faisait, quelques instants plus tôt, lorsqu'il était seul.

Et elle le caressa avec amour. *Amour…* C'était le seul mot qui occupait son esprit enfiévré tandis qu'elle se penchait pour le caresser de sa langue, de ses lèvres, de son souffle, et même de ses cheveux soyeux.

Il savait qu'il ne pourrait pas tenir longtemps… Et pourtant, il aurait voulu que cet instant fût éternel. Il ne s'était jamais senti autant choyé, il n'avait jamais eu autant conscience de recevoir un cadeau. Il prononça son nom et la saisit par les cheveux, luttant désespérément pour se contrôler.

Juste au moment où il croyait capituler, elle s'arrêta, comme si elle savait qu'il ne pourrait tenir davantage.

— Voilà, dit-elle d'une voix douce et pleine de satisfaction.

Elle remonta à son côté, tandis qu'il laissait ses cheveux filer entre ses doigts. Leurs yeux se rencontrèrent. Il avait si souvent lu l'éclat de la passion dans les yeux de ses partenaires, ainsi que l'urgence de leur désir… Mais il n'y avait jamais lu l'amour inconditionnel. Pas jusqu'à cet instant.

Il but cette offrande avec avidité, comme un homme sur le point de mourir de soif. Le besoin de la posséder monta en lui avec force, jusqu'à le faire trembler. Il voulut se blottir et s'enfoncer loin, très loin dans ce corps aimant et généreux. Gwen comprit son désir, et, symboliquement, écarta les lèvres. Jamais il n'avait aussi passionnément désiré une femme. Jamais. Il la roula sur le dos et prit place entre ses cuisses.

Elle murmura quelque chose, mais son immense désir le rendait sourd à tout ce qui ne pouvait le satisfaire sur-le-champ. Il voulait Gwen tout entière, la chaleur de son corps, sa passion, et la douce humidité du fourreau de soie qui s'ouvrait pour lui, et dans lequel il allait s'enfoncer…

Mais Gwen le repoussa.

— Travis ! dit-elle doucement, mais d'une voix rauque. Attendez !

Alors seulement il prit conscience de ce qu'il avait failli faire. Marmottant un juron, il se retira.

— Gwen, je suis désolé, dit-il, la respiration irrégulière.

Puis il ajouta, posant le front contre le sien :

— Je me demande bien où j'avais l'esprit…

— Vraiment ?

Il leva la tête et plongea le regard au fond de ses yeux bruns. Oh ! Comme il aimerait se noyer dans ce lac limpide et profond… Et comme il aimerait s'enfoncer en elle, se fondre en elle, comme si aucune barrière n'existait entre eux… Il devenait fou à lier, se dit-il.

— Que… que voulez-vous dire ? demanda-t-il.

— Vous vouliez un enfant.

Il nia la vérité aussi vite qu'il put.

— Non ! C'est vous que je veux. Vous m'avez fait perdre la tête.

Il inspira profondément, tandis qu'elle le considérait de ses yeux à la fois compréhensifs et brûlants de passion.

— Mais à présent, je me contrôle, ajouta-t-il.

— Ah bon ?

Décidément, pensa-t-il, elle était tout près de découvrir ses secrets. Beaucoup trop près. Il était grand temps de l'en distraire, se dit-il. Et, avec un peu de chance, de s'en distraire lui-même.

— Pour sûr, insista-t-il. J'ai repris les rênes.

Il se pencha et déposa un baiser au creux de sa poitrine. Il avait tant désiré cet instant... Il prit ses seins à pleines mains et lui titilla un téton. C'était le Paradis, se dit-il, comprenant aux gémissements de Gwen que celle-ci ne voyait aucune objection à ce qu'il lui dispense à son tour une partie des attentions qu'elle lui avait prodiguées.

Il lui semblait que chaque millimètre de sa peau le suppliait de l'explorer, de le lécher, de l'embrasser, de s'y blottir... Et de recommencer encore et encore... Ses soupirs profonds se muèrent en halètements, et, lorsque enfin il lui écarta les jambes pour goûter son essence féminine, elle cria son nom et se mit à trembler violemment.

Il sut qu'en lui permettant de connaître la partie la plus intime de son corps, elle venait de lui accorder un rare privilège. Seul, l'homme le plus heureux du monde pouvait entendre les gémissement de Gwen, se dit-il, en lui donnant ce baiser intime, érotique, et en bougeant sa langue avec une douce insistance... Cet homme, c'était lui. Et il voulait... Oui, il voulait être cet homme pour l'éternité. Mais c'était impossible.

A cette pensée, le dépit l'envahit comme une éruption de lave, et ses caresses redoublèrent de passion. Il voulut qu'elle capitule entièrement, tout de suite, comme pour sceller entre eux une sorte de pacte. Elle sembla se débattre sous lui, avant de cambrer enfin tout son corps, le suppliant de se fondre en elle.

Avec feu, il s'accorda aux spasmes de son corps. Elle lui appartenait tout entière tandis qu'elle étouffait ses cris sous un oreiller.

Enfin, elle s'immobilisa et s'abandonna totalement dans ses bras. Elle le fixa de ses yeux incroyables, si merveilleux. Il se demanda comment, dans le feu de l'action, il avait réussi à trouver la boîte de préservatifs dans la poche de son peignoir. Et comment il avait pu en enfiler un. Puis il passa les mains derrière elle et la pressa encore davantage contre lui, afin de s'enfoncer encore plus profondément en elle. Au bout de trois poussées, il explosa.

Alors, il ferma les yeux. Elle avait raison, pensa-t-il. Il voulait un enfant. Avec elle. Seulement avec elle.

11.

L'aube filtrant à travers les stores réveilla Gwen. Elle était seule dans le lit.

Un instant, elle craignit que Travis ne soit parti, emportant Elisabeth, mais une cascade de rires monta du rez-de-chaussée — une voix grave, très masculine, et des petits rires de bébé — en même temps qu'une bonne odeur de café. Gwen sourit et s'étira.

Elle se leva et enfila son peignoir, que Travis avait pris le temps de plier sur le dos d'une chaise. C'était très attentionné de sa part, pensa-t-elle. Ce serait un collaborateur précieux dans son *bed and breakfast*, s'il y restait… Car elle avait bien l'impression qu'il y resterait.

Quelques heures plus tôt, lorsqu'il était si ardent qu'il avait failli oublier de se protéger, il lui avait adressé *Le Regard.*

Depuis la puberté, Gwen attendait qu'un homme lui adresse un tel regard. Et, maintenant que cela s'était produit, elle n'allait tout de même pas laisser l'homme en question prétendre qu'il voulait rester célibataire ! Lorsqu'un homme adressait *Le Regard* à une femme, pensa-t-elle, il voulait, au plus profond de lui-même, en finir avec sa vie de célibataire. Quoi qu'il en dise.

Pressée de revoir Travis en compagnie de Lizzie, elle se contenta de se passer la main dans les cheveux avant de descendre au rez-de-chaussée. Mais elle se garda de poser le pied sur la marche grinçante, afin de ne pas le prévenir de son arrivée. Oui, elle voulait le surprendre, se dit-elle. Mais seulement pour ne pas lui laisser le temps de revêtir son masque de célibataire insouciant. Pendant qu'ils faisaient l'amour, elle avait vu le véritable Travis, tout comme lorsqu'il s'occupait d'Elisabeth, et le voir de nouveau ainsi lui donnerait du courage, pensa-t-elle. Le courage de lui dire ce qu'elle avait à lui dire.

Elle marcha sans bruit dans le couloir et jeta un coup d'œil dans la cuisine. Travis était en jean et en chemise, mais il était resté pieds nus. Il lui tournait le dos, assis sur l'une des chaises de chêne.

Des épaules si larges et si puissantes, pensa-t-elle… Mais sa nuque disparaissait sous une tignasse abondante et bouclée. Son coiffeur n'était sans doute pas à la fête lorsqu'il devait élaguer une telle crinière, se dit-elle. Elle sentit renaître en elle le désir de l'embrasser là, dans ses cheveux si fournis, en courbant la langue pour la confondre avec les boucles…

Sur la table, à côté du cow-boy, se trouvait le biberon vide d'Elisabeth, ainsi que quelques mouchoirs et le panier de rouleaux à la cannelle, dans lequel il ne restait plus que quelques miettes. Travis tenait Lizzie sur un genou, et Barney, le dinosaure violet, sur l'autre.

Apparemment, il jouait le rôle de ce dernier :

— Tu nous as flanqué une sacrée frousse, cette nuit, Lizzie, disait-il en faisant bouger la tête du dinosaure. Tu faisais autant de bruit qu'un crapaud, ma fille.

Le bébé riait, les bras tendus vers Barney. Bientôt, elle toussa, mais faiblement.

— Alerte ! Le petit nez va couler ! dit-il en prenant un Kleenex.

Elisabeth tenta d'éviter le mouchoir. Son petit nez rose était sans doute toujours douloureux, pensa Gwen.

— Je suis obligé de te faire cela, dit Travis en la tenant derrière la nuque pour l'empêcher de bouger. Sinon, le liquide verdâtre qui coulera de tes narines fera fuir tous les garçons !

Gwen sourit, mais la tendresse et la voix douce de Travis ne produisaient pas que cet effet sur elle. Sa peau devint hypersensible et le rythme de sa respiration s'accéléra. Elle était très consciente de sa nudité sous la soie rouge de son peignoir, tandis que ses tétons dressés se pressaient contre le tissu.

Travis allait tout de suite le remarquer, pensa-t-elle. Certes, se dit-elle, elle ne doutait pas de l'issue finale de leur relation, mais de là à ce que son désir se remarque dès le petit matin…

Elle fit quelques pas en arrière pour recomposer son attitude, et heurta le petit guéridon du vestibule. Déséquilibré, le vase de cristal s'écrasa par terre, jonchant le sol de pétales de roses.

Terriblement gênée, Gwen se mit à ramasser les plus gros morceaux du vase brisé.

— Gwen ? Vous vous êtes fait mal ?

Travis se tenait dans le couloir, et l'observait. Malgré l'embarras qu'elle éprouvait, Gwen ne put s'empêcher de le trouver merveilleusement séduisant avec le bébé dans les bras… et sa barbe d'un jour. Il avait tout d'un père de famille s'occupant de l'enfant pour permettre à son épouse de faire la grasse matinée. Ce rôle lui conviendrait à merveille, pensa-t-elle.

— Ce n'est rien, j'ai seulement heurté le guéridon répondit-elle, espérant de toutes ses forces qu'il croirait que l'incident s'était produit alors qu'elle se dirigeait vers la cuisine.

Un sourire supérieur illumina le visage de Travis. Il avait évidemment remarqué qu'elle se trouvait entre lui et le guéridon, et qu'elle n'avait donc pu le heurter qu'en reculant, se dit-elle.

— Alors, comme ça, on m'espionne ?

— Pas exactement ! riposta-t-elle, les joues en feu.

Travis se tourna vers le bébé.

— Elle m'espionnait, tu peux en être sûre, Lizzie ! Mais je ne peux pas lui en vouloir. Elle est follement amoureuse de moi.

En guise de réponse, Elisabeth gigota en gazouillant, tandis que Gwen se hérissait : Travis venait justement d'adopter l'attitude cavalière et superficielle qu'elle aurait tant voulu lui voir abandonner en sa présence.

— Evans, s'écria-t-elle, je n'arrive pas à croire que ce couloir soit assez grand pour votre colossal ego !

— Ai-je dit quelque chose de faux ? s'étonna-t-il.

Elle plongea son regard dans ses yeux aux reflets d'or, qui, cette nuit, l'avaient littéralement envoûtée. Ils brillaient de satisfaction masculine.

Avant de faire l'amour avec lui, elle n'aurait pas cherché à voir ce qui se cachait derrière cet air bravache. Mais, ce matin, elle insista suffisamment pour découvrir, dans les profondeurs intimes de son regard, une ombre d'incertitude, et le besoin qu'il dissimulait si soigneusement à tous... et qu'il lui avait pourtant déjà permis d'entrevoir. Sans se départir de son calme, elle lui adressa un long regard.

— Non, vous n'avez rien dit de faux, répondit-elle. Effectivement, je suis folle de vous.

Le sourire satisfait de Travis s'affaiblit quelque peu.

— J'irai même plus loin, poursuivit-elle. Je pense que nous sommes faits l'un pour l'autre.

A ces mots, Travis cessa complètement de sourire.

— Doucement, Gwen ! Vous prenez notre relation trop au sérieux.

— Trop tard. Je parle sérieusement. Et si vous étiez sincère avec vous-même, vous sauriez que vous aussi, vous avez parlé sincèrement. Nous appartenons l'un à l'autre, Travis, poursuivit-elle, tandis qu'il la fixait, bouche bée.

— Gwen, dit-il enfin, ce n'est pas parce que nous avons merveilleusement pris notre pied cette nuit que...

Elisabeth se saisit de son nez et le tordit de ses petits doigts. Il grimaça, écarta fermement sa main, qu'il secoua ensuite doucement.

— Holà, Lizzie, dit-il, il y a déjà ici une femme qui veut me passer la bague au doigt. N'essaye pas d'en faire autant sur mon nez !

Gwen avait décidé de se garder de tout emportement.

— Je ne me fonde pas seulement sur notre relation sexuelle, dit-elle calmement.

— Notre formidable relation sexuelle, corrigea-t-il en juchant Lizzie sur son épaule. Mais cela ne veut pas dire que le temps des promesses éternelles soit venu. Je vous ai prévenue que je n'en ferais jamais. N'oubliez pas non plus que c'est vous qui êtes venue dans ma chambre, et pas le contraire. Je n'ai jamais cherché à vous séduire.

— Je me souviens parfaitement de tout ce que nous avons vécu ensemble cette nuit, dit-elle. Et vous ?

Le regard de Travis s'assombrit, puis s'attarda sur la poitrine de la jeune femme.

— Il est temps de changer la petite, dit-il d'une voix rauque.

Elle n'éprouva aucun sentiment de triomphe à cause de l'avantage qu'elle venait de prendre sur lui. Après tout, il exerçait tout autant de pouvoir sur elle. La seule différence, c'était qu'elle, elle ne se cachait pas ce que cela signifiait pour eux deux. Tandis que lui, il luttait encore pour ne pas l'admettre.

— Je vais balayer le vestibule avant que vous sortiez de la cuisine, dit-elle.

— Merci.

Elle passa devant lui, nue sous son peignoir de soie, et entendit le cow-boy avaler sa salive avec effort. Elle prit un balai et une pelle dans le petit placard, puis, revenant dans le vestibule, elle passa de nouveau devant lui.

Le bébé avait beau roucouler et gazouiller dans ses bras, Travis se murait dans un silence obstiné, mais Gwen ne doutait pas qu'il observait tous ses mouvements. Et si son peignoir s'ouvrait un peu lorsqu'elle se pencherait afin de pousser les pétales de roses dans la pelle, elle ne pourrait l'empêcher...

— Le mal est réparé, dit-elle enfin. Je vais prendre une douche pendant que vous la changez.

— O.K.

Lorsqu'il sortit de la cuisine, Gwen remarqua au niveau de son jean un signe manifeste de son excitation. Eh bien, tant mieux, se dit-elle, car elle-même le désirait sans doute tout autant... Mais il ne s'agissait pas seulement de sexe, pensa-t-elle en traversant sa suite. Elle ôta son peignoir et le jeta sur son lit, avant de se rendre dans sa salle de bains victorienne et d'actionner les poignées en porcelaine de la douche.

Certes, elle ne pouvait nier l'attraction sexuelle qu'il exerçait sur elle, se dit-elle. Mais ce qui l'avait décidée à venir le retrouver dans sa chambre, c'était la personne aimante et chaleureuse qu'elle avait décelée derrière le masque de playboy dont il était si fier. De toute évidence, l'homme qui avait passé la nuit à s'occuper d'Elisabeth méritait son amour.

Mais quelque chose obligeait ce même homme à refuser cette part de lui-même capable d'aimer, d'honorer et de chérir une femme toute sa vie. Gwen était fermement décidée à découvrir ce « quelque chose »...

Elle rassembla ses cheveux au-dessus de sa tête, et les fixa à l'aide d'une pince. Puis elle entra dans sa baignoire à pied de griffon, tira le rideau, et s'avança sous le jet d'eau chaude. Elle n'avait pas l'intention de s'attarder, mais le jet lui faisait tant de bien… Elle devrait pourtant se préparer un petit déjeuner, avec une bonne tasse de café, se dit-elle. Elle devrait…

Le rideau de douche s'écarta soudain.

— Travis !

Avant qu'elle ait pu esquisser le moindre geste, il la saisit par la taille et la souleva vivement hors de la baignoire.

— Vous me rendez fou ! lui murmura-t-il à l'oreille, en pressant son corps vibrant de désir contre celui, nu, de la jeune femme.

Elle voulut se tourner vers lui, mais il la serra davantage contre lui, tenant un de ses seins, tandis que son autre main se glissait hardiment entre ses cuisses.

— Où est…

Elle s'interrompit, car il avait trouvé la bosse sensible qui se cachait dans sa toison bouclée.

— Où est la petite ? demanda-t-elle enfin.

— Tout va bien, lui dit-il à l'oreille, d'une voix rauque. Elle joue avec Bruce, dans son berceau.

Bien que les doigts fureteurs de Travis eussent déjà réduit à néant toutes ses capacités de résistance, elle essaya d'ignorer la brûlure du désir qui montait en elle.

— Travis, protesta-t-elle, si la petite ne dort pas, je ne crois pas que nous…

— Ne vous inquiétez pas, répliqua-t-il d'un ton bourru, en l'incitant à se mettre à genoux sur le tapis duveteux, cela ne va pas durer longtemps.

Tout en mordillant son épaule encore ruisselante, il la caressa de ses mains expertes et la serra très fort contre lui. Puis, appuyant sa poitrine contre son dos, il la pressa de se mettre à quatre pattes. Il voulait la prendre comme cela, se dit-elle, peut-être pour éviter qu'elle le regarde dans les yeux et qu'il y lise ses émotions.

Sa raison l'incitait à protester, mais elle désirait de tout son corps, de tout son cœur et de toute son âme le sentir de nouveau au plus profond d'elle-même, jouir de cette union qu'il lui proposait en silence... Et, lorsqu'il la pénétra, elle frissonna de plaisir.

Il se recula, puis, en gémissant, s'enfonça de nouveau en elle. Et il recommença encore et encore, tandis que leurs deux corps vibraient à l'unisson.

— Espèce de lâche ! cria-t-elle, alors même que tout son corps se tendait vers lui et se soulevait, tant elle brûlait de recevoir ses caresses.

— Sorcière ! répliqua-t-il, haletant, en la pénétrant encore plus profondément.

Lorsque l'orgasme la saisit, elle eut l'impression que c'était tout son corps qui en éprouvait les contractions.

Elle sentit que le rythme de ses pénétrations se faisait de plus en plus frénétique, et son plaisir dépassa en intensité tout ce qu'elle avait connu jusque-là. Enfin, lorsqu'elle se crut devenir folle de jouissance, il connut la délivrance et cria son nom.

Ils desserrèrent graduellement leur étreinte, et Gwen se retrouva allongée sur le côté, la tête reposant sur le bras de son amant, tandis que ce dernier l'embrassait sur la nuque. A cause de ce simple geste, elle se sentit aimée.

— Je sais que je représente pour vous bien davantage qu'une liaison passagère, dit-elle doucement. Et je suis certaine de ne pas me tromper.

— Vous ne vous trompez pas, dit-il d'une voix rauque en lui caressant le creux de l'épaule. Vous avez bouleversé ma vie. Malheureusement, je ne puis me lier ni à vous, ni à personne.

— Mais pourquoi ? demanda-t-elle dans un souffle.

Il ne répondit pas.

— Je crois que j'ai le droit de le savoir, dit-elle.

— Peut-être.

— Me le direz-vous ?

Il s'éloigna un peu d'elle.

— Je vais réfléchir, dit-il.

Une dernière fois, il l'embrassa sur l'épaule, puis se leva et quitta la salle de bains.

Les yeux clos, Gwen demeura étendue sur le tapis, le corps comblé, l'esprit en ébullition. Il n'avait pas dit qu'il ne *voulait* pas s'engager, mais qu'il ne le *pouvait* pas. Sans doute s'agissait-il là d'un obstacle bien plus sérieux que celui auquel elle s'attendait, pensa-t-elle…

La situation échappait à son contrôle, se dit Travis. En se préparant à emmener Lizzie chez le Dr Harrison, il se remémorait l'état dans lequel il se trouvait lorsqu'il n'avait pu s'empêcher de rejoindre Gwen dans sa salle de bains, pour satisfaire l'incroyable désir qu'il avait d'elle. Jamais il n'avait ressenti un besoin aussi urgent. Il s'était comporté comme un homme des cavernes tirant sa compagne par les cheveux… C'était vraiment une chance que Gwen ait eu également envie de faire l'amour, se dit-il, car il n'osait penser à ce qu'il aurait fait si elle avait refusé.

Mais elle s'était de nouveau donnée à lui, parce qu'elle l'aimait. Il le savait, et elle le savait, se dit-il encore. Et, pour la première fois de sa vie, il commençait à croire que lui aussi était amoureux... Son désir brûlant pour elle n'en était pas la seule cause. Il y avait aussi cette métamorphose qui s'opérait en lui dès qu'il se trouvait en sa compagnie. Il devenait alors meilleur, plus attentionné… Le genre d'homme qu'il aimait retrouver dans son miroir le matin en se rasant.

Gwen s'intéressait davantage à ce qu'elle donnait qu'à ce qu'elle recevait, pensa-t-il, et il n'était guère accoutumé à cela. Sans le moindre doute, elle l'avait sérieusement accroché. Et à présent, il lui fallait peut-être se décider à lui parler de sa mère…

Il enfila sa veste de daim, emmitoufla Lizzie, et descendit l'escalier. Une délicieuse odeur s'échappait de la cuisine, où Gwen s'activait devant les fourneaux. Elle avait revêtu une chemise qui recouvrait jusqu'aux cuisses son pantalon de velours, et avait rassemblé ses cheveux sur le sommet de sa tête. Il eut l'envie presque irrésistible de les lui dénouer, et de lui ôter ses vêtements…

— J'emmène Lizzie chez le Dr Harrison, pour être tout à fait sûr qu'elle est guérie, dit-il.

Gwen cessa de remuer le contenu de la marmite et leva ses yeux bruns. Il y avait une question brûlante dans son regard.

— Reviendrez-vous ? demanda-t-elle, d'une voix un peu cassée.

De toute évidence, elle attendait la réponse avec anxiété.

Oh, oui. Comment aurait-il pu partir ? se demanda-t-il, l'estomac noué.

— Oui, répéta-t-il à voix haute. Nous reviendrons.

— Ah, bon, dit-elle, le visage soudain plus détendu. Parce qu'il faut que nous parlions.

— Je sais, dit-il.

En gazouillant, Lizzie s'empara de l'oreille de Travis et se mit à la tordre avec une belle ardeur. Mais, comme il tenait d'une main le siège pour bébé, et de l'autre le bébé lui-même, il ne pouvait rien faire.

— Holà, Elisabeth, ne soit pas aussi brutale ! dit-il en riant.

Gwen s'approcha et tendit son doigt au bébé, qui lâcha l'oreille de Travis pour s'en emparer. Un instant ils demeurèrent immobiles, tous les trois reliés, tandis que, baigné par le parfum de Gwen, et submergé de désir, le cow-boy se sentait pris de vertige.

— Pendant que j'y suis, voulez-vous que je vous ramène quelque chose ? demanda-t-il d'une voix tendue.

Elle rougit légèrement. Elle avait ce regard qui donnait à Travis la sensation de mesurer au moins trois mètres.

— Je veux seulement que vous reveniez, dit-elle.

— Ne vous inquiétez pas. Je ne serai pas long.

Comme elle rougissait davantage, Travis se rendit compte qu'il lui avait dit exactement la même chose avant de lui faire l'amour près de sa baignoire aux pieds de griffon… Et, instantanément, son excitation le reprit, au souvenir de la manière dont elle s'était ouverte à lui, dont elle avait crié… et au souvenir de l'orgasme qu'il avait ensuite connu.

Au feu qu'il vit s'allumer dans les yeux de Gwen, et à sa respiration oppressée, Travis comprit qu'elle aussi revivait ces instants. Il s'éclaircit la gorge.

— Il faut que j'y aille, dit-il. Sinon, Lizzie va de nouveau prendre froid.

Gwen sourit et libéra doucement son index de l'étreinte de la petite.

— A bientôt, ajouta-t-il en sortant de la cuisine.

« Quel gâchis ! » se dit-il en sortant sous la pluie. Gwen régnait sur sa belle demeure victorienne, et sa mère sur sa petite cabane en pleine forêt, dans l'Utah. Et malheureusement, se dit-il encore, il était impensable que l'une ou l'autre renonce à son royaume…

12.

Dès que Travis fut parti, Gwen revêtit un léger trench-coat et sortit faire une promenade dans son quartier coquet. Après être restée si longtemps enfermée dans la maison, l'air pur lui ferait du bien, se dit-elle en inspirant à pleins poumons la brise matinale chargée d'essences d'épicéa.

L'air était vif, mais déjà le soleil réchauffait les pelouses mouillées et séchait les trottoirs. Les oiseaux pépiaient, et, où qu'elle dirigeât son regard, le printemps faisait signe à Gwen : au pied des arbres bourgeonnants, les tulipes et les jonquilles semblaient surgir de la terre humide, sur les massifs de fleurs bien entretenus qui entouraient presque toutes les maisons. Les montagnes du Sangre de Cristo étaient sans doute encore drapées de neige, pensa-t-elle, mais la vallée ne tarderait pas à se trouver inondée de couleurs.

A n'en pas douter, elle adorait cet endroit, se dit-elle. Elle connaissait tous ses voisins et pouvait les saluer par leur nom. A Noël, elle confectionnait une grande quantité de gâteaux, et les offrait à tous les habitants du quartier.

Elle avait donné des leçons de couture à la petite Lisa Henry, qui n'avait pas plus de dix ans... Elle avait gardé les enfants des Johnson lorsqu'ils avaient été obligés de passer une nuit loin d'eux, et, lorsque Ethel Sweetwater avait eu la grippe, c'était elle qui lui avait apporté de quoi manger... Si bien que tous ses voisins l'invitaient à leurs fêtes de famille, et ne manquaient jamais une occasion de recommander chaleureusement son *bed and breakfast.*

Pour la première fois, Gwen se demanda si son amour pour Travis risquait de changer tout cela. En supposant qu'il surmonte l'obstacle inconnu qui l'empêchait de s'engager, se dit-elle, voudrait-il qu'elle s'installe dans l'Utah, où il avait sa résidence d'hiver, en ne lui permettant de vivre à Huerfano que l'été, comme une touriste ? Supporterait-elle de perdre ainsi ses racines, après s'être donné tant de mal pour s'intégrer à cette petite communauté ?

En espagnol, Huerfano signifiait *orphelin*. Son frère avait dit que c'était un nom bien triste pour une ville, se souvint-elle. Mais Gwen l'avait toujours aimé. Elle considérait cet endroit comme une terre d'asile pour tous ceux qui se sentaient orphelins, ce qui était son cas, bien qu'elle ait eu des parents. Pour elle, être orphelin, c'était ne pas avoir de véritable chez-soi, n'appartenir à aucun lieu précis. Et, jusqu'à ce qu'elle s'installe à Huerfano, c'était ainsi qu'elle se définissait.

Elle espérait bien que Travis n'était pas particulièrement attaché à sa maison dans l'Utah. Avec un peu de chance, ce n'était qu'un repaire typique de célibataire, sans véritable caractère. De plus, à voir la manière dont Travis se sentait à l'aise chez elle, Gwen ne pouvait douter qu'il aimait sa belle maison victorienne.

Et il se sentait tout aussi à l'aise avec la maîtresse de maison... Chaque fois qu'elle pensait à la manière dont il avait fait irruption dans sa salle de bains, Gwen ressentait encore la surprise et le désir qu'elle avait éprouvés à cet instant. Elle doutait fort que ce genre de chose se produisît souvent chez ses voisins, plutôt conservateurs... Mais elle aimait cette sorte d'audace chez Travis. C'était même une des raisons pour lesquelles les hommes conventionnels ne l'enflammaient guère.

Car Travis l'excitait, Gwen ne cherchait plus à se le cacher. Dès qu'elle vit son pick-up de nouveau garé devant chez elle, elle frissonna et son cœur se mit à battre plus vite. Elle ne s'attendait pas à le voir revenir si vite. C'était bon signe, se dit-elle.

Le chapeau de cow-boy rejeté en arrière, et la veste de daim ouverte, Travis se balançait doucement sur son fauteuil à bascule, sous la véranda, tenant Elisabeth sur ses genoux. Même dans un fauteuil en osier blanc, et au milieu de coussins décorés de fleurs, il avait l'air incroyablement masculin, incroyablement sexy. Elisabeth semblait somnoler, sans vraiment dormir.

— Désolée, dit Gwen en se hâtant vers la véranda, j'ai fait une petite marche pour me remettre les idées en place. Je ne croyais pas que vous reviendriez avant moi.

— Alors, comme ça, vous avez des idées ? répliqua-t-il vivement en lui lançant ce regard à la fois brûlant et pénétrant, qui la faisait fondre.

— Hum, pas de ce genre, répondit-elle en se sentant rougir. C'était seulement une façon de parler. Mais je m'excuse de vous avoir fait attendre.

— Pas de problème. Nous ne sommes pas arrivés depuis longtemps. Mais je crois que Lizzie est prête pour son biberon de midi et sa sieste.

Gwen sentit s'accélérer les battements de son cœur. Le temps de la sieste d'un bébé pouvait si facilement devenir le temps du plaisir pour les adultes, se dit-elle… Et elle ne doutait pas que Travis pensait la même chose, surtout après la remarque qu'il avait faite sur ses «idées»…

— Que dit le Dr Harrison ? demanda-t-elle.

— Il dit que nous avons parfaitement maîtrisé la situation, et il nous en félicite, répondit Travis avec un large sourire. Il a ajouté que, puisque nous sommes si bien venus à bout de son refroidissement, nous n'aurons aucun problème lorsque ses dents vont percer.

— Ses dents ? répéta Gwen, stupéfaite. Si tôt ?

— Le docteur m'a dit qu'elle est en avance pour son âge, et qu'elle marchera très tôt, répondit Travis avec une note d'orgueil dans la voix.

— D'ici là, Jessica sera peut-être de retour, lui rappela-t-elle d'une voix douce, pensant qu'il était de son devoir de le ramener sur terre.

— Et alors ? Elle est sortie de la vie de cette enfant ! s'exclama-t-il, le regard luisant d'une détermination farouche.

— Elle avait sûrement une bonne raison pour le faire, dit Gwen.

— Cela vaudrait mieux pour elle ! Parce que, sinon, Sebastian et moi la poursuivrons en justice si elle essaye de reprendre l'enfant.

Moi aussi, j'ai des droits sur elle, à condition que je sois le père, ce dont je suis certain.

— Vous allez demander la garde de Lizzie ? s'enquit Gwen, pleine d'espoir à la pensée que Travis envisageait peut-être de fonder un foyer.

— Non, probablement pas.

— Mais vous venez de dire que…

— En tout cas, je veux que Matty et Sebastian en aient la garde, car ils me laisseront la voir autant que je voudrai. Ce serait presque comme si elle m'avait été confiée.

Ainsi, pensa Gwen, il n'envisageait pas de fonder un foyer… Elle détourna le regard, luttant contre ses émotions, et sortit la clé de sa poche.

— Entrons, dit-elle. Je vais préparer le déjeuner pendant que vous lui donnerez son biberon.

Travis se leva et suivit la jeune femme. Il aurait bien voulu ne pas la décevoir, lui dire qu'il demanderait la garde de Lizzie… D'autant plus qu'il adorerait pouvoir le faire ! Mais c'était impossible de traîner un bébé dans l'Utah l'hiver, et le faire revenir au Colorado l'été. Dans l'Utah, sa mère serait probablement ravie de s'en occuper, mais la petite avait besoin d'un père et d'une mère à plein temps, et c'était ce que Matty et Sebastian pouvaient lui offrir. Ils ne demandaient pas mieux, même si Sebastian était en partie motivé par la certitude que c'était *lui* le père. Le premier imbécile venu saurait tout de suite que ce n'était pas le cas. « Ce bébé, c'est moi tout craché ! » se dit-il encore.

Car il était bien certain d'avoir marché très tôt, lui aussi. D'ailleurs, il avait été précoce dans tous les domaines, se dit-il avec un large sourire, en se souvenant de cet épisode du fenil avec Cindy Rexford, l'été de ses quinze ans.

— Allons-nous goûter à cette soupe ? demanda-t-il en montant l'escalier, afin de déshabiller Lizzie.

— Pas au déjeuner, répondit Gwen. Il faut la faire mijoter plus longtemps.

Travis s'arrêta dans l'escalier.

— Alors, un reste de lasagnes ?

— Tout à fait d'accord !

Il se remit à gravir l'escalier, sentant presque dans sa bouche le goût des lasagnes. Bon sang, cette femme savait cuisiner ! se dit-il. Puis après le déjeuner, lorsque Lizzie ferait sa sieste, Gwen et lui pourraient se blottir l'un contre l'autre et... Il en oubliait presque la discussion qu'ils devaient avoir auparavant. Il l'aurait volontiers remise à plus tard, mais Gwen avait l'air d'y tenir.

Lorsqu'il redescendit avec Lizzie, il s'aperçut que le biberon était prêt, sur la table, et semblait les attendre. Encore un exemple de ce que cela signifiait de vivre avec une femme comme Gwen, se dit-il en s'asseyant.

— Vous êtes merveilleuse, dit-il en proposant le biberon au bébé.

Elle s'arrêta un instant de couper le pain, qu'elle s'apprêtait à faire griller, et lui jeta un coup d'œil.

— Pas vraiment, dit-elle.

— Si, vraiment. Il n'y a plus beaucoup de femmes qui cuisinent comme vous, de nos jours. Elles ne prennent même plus la peine de faire griller le pain.

— C'est parce qu'elles ont trouvé mieux à faire, répliqua-t-elle en se remettant à l'ouvrage. Elles dirigent des entreprises, ou découvrent des nouvelles molécules dans des laboratoires. A moins qu'elles ne se présentent aux élections, ou dirigent un ranch, comme Matty. Moi, je suis vieux jeu.

— Sornettes que tout cela. D'autant que vous dirigez un *bed and breakfast*, ce que beaucoup de gens ont essayé de faire, avant de se casser les dents. Mais vous, vous avez l'air vous en tirer merveilleusement bien.

— Merci de me dire tout cela, dit-elle.

Le ton reconnaissant de la jeune femme surprit beaucoup Travis. C'était comme si elle n'avait qu'une piètre idée de ses capacités.

— Vous savez, reprit-il, toutes ces présidentes de sociétés, toutes ces scientifiques, ces avocates ou Dieu sait quoi ont besoin de maisons douillettes comme la vôtre pour soigner leur stress. Et de gens comme vous.

— Je n'avais jamais vu les choses sous cet angle, dit-elle en plaçant les tranches de pain dans le four.

Travis fut heureux d'avoir réussi à lui donner une autre perspective. Et, tandis qu'elle mettait la table, il pensa que c'était lui qui avait fait fleurir le sourire qu'elle arborait...

Lorsque Lizzie eut fini son biberon, il attendit consciencieusement qu'elle fasse son renvoi avant de se lever.

— Elle a sommeil, dit-il. Je vais la changer et la coucher avant de déjeuner.

— O.K., dit Gwen en lui lançant un coup d'œil presque timide.

Travis sentit son corps se tendre de désir. Peut-être ne pourrait-il même pas attendre ces délicieuses lasagnes, se dit-il. Il monta l'escalier quatre à quatre, puis changea et coucha Lizzie en un temps record. Cependant, avant de redescendre, il prit le temps d'extraire de la poche de sa veste une boîte de préservatifs. La visite chez le Dr Harrison avait été si rapide qu'il avait pu faire un détour par la pharmacie.

Lorsqu'il entra de nouveau dans la cuisine, les lasagnes étaient déjà dans les assiettes, tandis que Gwen disposait les tranches de pain grillé dans un panier en osier tapissé d'un napperon à fleurs. Tout ce qu'elle faisait, elle le faisait bien, pensa-t-il. Même les plus petites choses. Et surtout l'amour. Son regard passa des lasagnes au visage de son hôtesse, et il choisit entre les deux sans la moindre hésitation.

— Gwen, dit-il, et si nous, hum... gardions notre déjeuner au chaud dans le four ?

La jeune femme lui adressa un long regard sérieux qui laissait mal augurer de ses chances de réussite.

— Je n'en ai pas l'intention, dit-elle. Pendant le repas, je veux que vous me disiez ce qui vous empêche de fonder un foyer.

— Nous perdrions un temps précieux. Dieu sait quand Lizzie va se réveiller.

Elle s'approcha de la table, le panier à pain à la main.

— Ce n'est pas une perte de temps, répliqua-t-elle en soutenant son regard. Notre avenir en dépend.

Travis sentit son estomac chavirer. Soudain, il n'avait plus faim du tout. Il agrippa le dos d'une des chaises de la cuisine.

— Nous n'avons pas d'avenir ensemble ! s'écria-t-il. C'est ce que je me tue à vous dire. Nous pouvons être heureux quelques jours ici, mais ensuite, nous devrons nous séparer, ajouta-t-il, tandis que son estomac était de plus en plus douloureux — s'il ne se sentait pas capable de vivre sans Gwen, il ne voyait vraiment aucun moyen de rester avec elle...

— Vous ne voulez pas plus que moi que nous nous séparions, je le vois dans vos yeux ! s'écria-t-elle.

— Ce que je veux et ce que je peux faire sont deux choses complètement différentes, dit-il.

Gwen jeta le panier sur la table, si fort que les tranches de pain s'éparpillèrent dans tous les sens.

— Nom d'un chien, Travis, pourquoi donc ? cria-t-elle.

Il avala sa salive avec difficulté.

— Parce que j'ai promis à mon père que je m'occuperais de ma mère après sa mort, et jusqu'à la fin de mes jours.

Gwen le regarda avec des yeux ronds, comme s'il venait de lui pousser une deuxième tête.

— C'est tout ? demanda-t-elle. Ce n'est que *cela* ?

— C'est bien assez, répliqua-t-il. On voit bien que vous ne connaissez pas ma mère ! Elle est très difficile. Elle...

— Ce n'est pas possible ! s'exclama Gwen en prenant le visage du jeune homme entre ses mains. Vous n'allez pas renoncer à votre bonheur simplement parce que votre mère a besoin de vous ! ajouta-t-elle avec feu.

Il ne l'avait jamais vue aussi belle. Mais elle ne comprenait rien à la situation, se dit-il.

— Je ne peux pas la laisser tomber, et je ne le ferai pas. Pas même pour vous, Gwen.

— Je ne vous demande pas de faire cela, murmura-t-elle en s'approchant de lui au point qu'il ne put s'empêcher de la prendre par la taille. Elle pourra vivre ici.

Travis éclata de rire.

— Oh, parfait ! Je suis sûr que ça marcherait ! dit-il d'un ton moqueur.

— Et pourquoi pas ? La maison est grande. Elle aurait sa propre chambre à l'étage, à moins qu'elle n'ait du mal à grimper l'escalier. Dans ce cas, nous pourrions…

— Elle n'a aucun problème avec les escaliers, coupa-t-il.

— C'est parfait ! s'exclama Gwen. Cela veut dire qu'elle n'est pas handicapée. Je pense qu'elle aimera la chambre sur cour. C'est la plus grande, et on pourra sans doute lui installer une petite salle de bains.

— Vous ne comprenez pas, dit-il en fermant les yeux.

Car la jeune femme s'était mise à tourner voluptueusement autour de lui, l'effleurant de son vêtement de velours, l'aguichant de ses seins merveilleusement pleins.

— Elle n'aurait pas de problème avec l'escalier, mais elle en aurait avec vous, dit-il.

— Avec moi ? Mais pourquoi donc ?

Au lieu de répondre, Travis la regarda au fond des yeux et se mit à lui pétrir doucement le bas du dos.

— Pourquoi, Travis ?

— Parce qu'elle a l'habitude de tout décider chez elle, dit-il enfin. Tout comme vous.

— Cela pourrait s'arranger, dans une grande maison comme celle-ci, protesta-t-elle, tout en lui passant doucement les mains dans les cheveux.

Dieu, comme il aimait ces caresses ! pensa-t-il. Jamais il ne pourrait s'en passer !

— En plus, reprit Travis, elle a l'habitude de m'avoir pour elle toute seule. Je suis fils unique, et mon père lui passait tous ses caprices.

S'apercevant que le pantalon de velours de Gwen ne tenait que par un élastique, il glissa la main à l'intérieur, et entra en contact avec une petite culotte de soie.

— J'ai fait une promesse à mon père, et je la tiendrai, dit-il.

— Bien sûr que vous la tiendrez ! dit-elle en lui prenant la tête entre ses mains, pour l'attirer vers sa bouche entrouverte. Mais rien ne vous empêche de la tenir ici, avec moi, ajouta-t-elle.

— Cela m'étonnerait !

Travis avait envie de faire des centaines de choses chez Gwen — et avec elle… Mais sûrement pas partager cette maison avec sa mère ! Gwen ne voulait pas regarder la réalité en face, pensa-t-il. Ce qui ne l'empêchait pas d'avoir envie de l'embrasser — ni de lui faire l'amour jusqu'à l'épuisement…

— Vous laissez votre mère prendre beaucoup trop d'ascendant sur vous, murmura-t-elle, ses lèvres effleurant les siennes.

— Vous ne comprenez pas. C'est une…

— Embrassez-moi, Travis. Et bien !

Il ne fallait pas le lui demander deux fois. En gémissant, il prit le trésor qui lui était offert. Elle était si généreuse, si sensuelle, si douce… et cependant si audacieuse ! Il l'embrassa jusqu'à en perdre haleine, jusqu'à ce que chacun se retrouve en train de déshabiller l'autre. Enfin, lorsqu'ils prirent un peu de recul pour reprendre leur souffle, il lui avait déjà dégrafé le corsage, et elle avait déjà déboutonné la chemise de Travis. Tous deux sourirent.

— Les lasagnes refroidissent, dit-elle.

— Ce n'est sûrement pas le cas de tout le monde, dans cette cuisine, plaisanta-t-il en passant la main dans le corsage de Gwen. De toute façon, je suis certain que, même froides, vos lasagnes seront délicieuses.

— Vous voulez tenter l'expérience ? demanda-t-elle en lui sortant la chemise du jean.

— Absolument !

Des deux mains, elle lui caressa la poitrine.

— Travis, je veux que vous fassiez venir votre mère ici, pour un essai, dit-elle.

— Vous ne savez pas ce que vous dites ! Ce serait un pur désastre !

— Je suis bien certaine que non ! répliqua-t-elle en l'embrassant sur les tétons.

Travis sentit son souffle s'accélérer. Il aimait cette petite diversion. Vraiment beaucoup. Ils avaient encore tant de choses à apprendre l'un de l'autre ! se dit-il. Une vie entière suffirait à peine…

— Ce serait un désastre, répéta-t-il.

Gwen se détacha légèrement de lui, prit ses deux mains dans les siennes, et commença à reculer en direction de son appartement.

— Venez dans ma chambre, dit-elle. Nous serons plus à l'aise pour discuter.

Il vit son visage en feu, ses lèvres d'un rouge très vif à force d'avoir été embrassées, et ses cheveux abondants qui lui retombaient sur les épaules… Et tout cela, seulement en guise d'apéritif !

— Madame, dit-il, je veux bien envisager d'inviter Godzilla à l'essai, si vraiment nous pouvons en discuter dans votre chambre…

13.

Travis avait toujours adoré déshabiller les femmes très, très lentement, afin de porter au paroxysme leur excitation — ainsi que la sienne propre... Mais à présent, cela lui paraissait un jeu stupide auquel il n'avait plus une seule seconde à consacrer. Il était enfin passé aux choses sérieuses !

Dès qu'il eut enlevé sa dernière chaussette, Gwen jeta l'édredon au milieu du lit, ce qui emplit la chambre d'un délicat parfum de lavande. Puis elle se vautra dessus, aussitôt imitée de Travis, qui eut l'impression de s'enfoncer dans une montagne de guimauve.

— Pourquoi diable ?..., commença-t-il.

Sans vraiment le vouloir, il roula par-dessus la jeune femme, qu'il perdit un instant de vue. En riant, elle passa le bras autour de lui.

— C'est un bon lit de plumes, dit-elle. Epaisseur extra. Douceur garantie.

— Sans blague ? Si nous étions pris en sandwich entre deux épaisseurs de ce genre, on pourrait nous jeter de n'importe quelle hauteur sans risquer de nous faire mal ! dit-il en essayant de se soulever sur les deux bras. Aucun type ne pourrait faire des mouvements de recul du bassin là-dessus ! ajouta-t-il en faisant remuer ses sourcils à la Groucho Marx.

— Mais je suis bien sûre que vous, vous trouverez un moyen ! répliqua-t-elle avec un large sourire.

— Alors, il va falloir que je trouve d'abord quelque chose à quoi m'accrocher ! dit-il en enfouissant sa tête entre ses seins. Ah ! Voici justement une bonne saillie, ajouta-t-il en enfouissant un téton dans sa bouche.

Gwen poussa un soupir et se cambra.

— Cela fonctionne très bien ! dit-elle.

Le soleil filtrait à travers les rideaux de soie, et Travis ne manqua pas une si belle occasion de l'aimer autant avec ses yeux qu'avec le reste de son corps. Elle avait la peau si lisse, si dorée… Il eut beaucoup de mal à repérer la petite envie qu'elle avait sur le sein gauche, juste au-dessus du cœur. Il lui fut encore plus difficile de découvrir le grain de beauté qu'elle avait à l'intérieur de la cuisse… Mais, ensuite, il décida de s'attarder dans cette région accueillante, afin d'en explorer le moindre millimètre carré, jusqu'à ce que Gwen se contorsionne dans tous les sens.

— Maintenant ! s'écria-t-elle. Maintenant, Travis !

— J'espère que je vais pouvoir revenir dans la bonne position, dit-il.

Car l'édredon s'enflait en vagues géantes à chacun de ses mouvements. Cependant, bien que son cœur battît dix fois plus fort que la normale, il garda un large sourire jusqu'à ce qu'il sente la douce caresse du corps de la jeune femme sous le sien, et voie le feu de ses yeux, tandis qu'elle écartait les jambes. Il frissonna en comprenant à quel point il lui serait facile de se glisser en elle et de l'aimer comme elle le méritait, en oubliant de se protéger...

L'envie de lui faire un enfant se mit à tourbillonner dans sa tête. Il était vraiment fou de Gwen, pensa-t-il. Mais, se souvenant de Lizzie, il se rendit compte qu'une grossesse désirée par les deux partenaires serait infiniment préférable. Une grossesse désirée par lui-même et la femme qu'il aimait — *cette* femme…

Il parvint à atteindre le préservatif sur la table de nuit.

— Je vous désire au-delà de tout ce que vous pouvez imaginer, dit-il, haletant. Mais vous allez devoir m'aider. Si j'essaye de le mettre moi-même, je ne pourrai jamais me tenir en équilibre sur cet édredon !

Aussitôt, Gwen déchira l'emballage en plastique, puis, lentement, avec dextérité, et sans cesser de regarder son partenaire au fond des yeux, elle lui enfila la gaine protectrice. Lorsqu'elle eut fini, il se sentait comme du métal en fusion.

— Maintenant ! murmura-t-elle en soulevant les hanches, les yeux toujours rivés sur les siens.

— Oui, maintenant !

Il entra en elle, s'émerveillant de son petit cri de plaisir, et de la manière dont son visage semblait illuminé de l'intérieur. C'était bon. Tellement bon... Comme c'était simple de faire l'amour à la femme qui vous était destinée ! Gwen et lui étaient tellement en harmonie qu'il ne pouvait dire si c'était elle qui s'accordait à ses mouvements, ou le contraire. Ou s'ils avaient ensemble créé un rythme particulier. Tout ce qu'il savait, c'était qu'il avait trouvé avec Gwen ce qu'il ne pourrait jamais trouver chez aucune autre femme.

Il contempla ses yeux agrandis par le plaisir, tandis qu'elle le suppliait en haletant d'aller plus vite, toujours plus vite...

— Embrassez-moi tout de suite, implora-t-elle. Sinon je vais réveiller la petite.

Le cœur débordant d'amour, il étouffa dans sa propre bouche les cris qu'elle voulut pousser pendant l'orgasme. Ce fut ensuite au tour de Gwen d'absorber les siens, tandis qu'il avait l'impression qu'un éclair avait frappé son corps, et le secouait. Il l'embrassa avec tant de passion que les dents de Gwen marquèrent sa bouche de leur empreinte.

Lorsque leurs cris se muèrent en gémissements, il l'embrassa beaucoup plus doucement. Puis il enfouit la tête dans ses seins. Tout son corps continuait à manifester sa joie par de petits soubresauts. Gwen lui caressa les cheveux.

— Fin de la discussion, murmura-t-elle, encore haletante.

— Quelle discussion ?

Il pouvait déjà à peine bouger. Et penser était encore plus difficile pour lui...

— Pourriez-vous vivre sans cela ? demanda-t-elle.

La réponse fusa, avant qu'il ait eu le temps de la censurer :

— Non !

— Moi non plus. Alors vous devez faire venir votre mère. Nous devons faire l'essai.

Il pensa qu'en effet, il n'y avait peut-être pas d'autre solution. Le bonheur qu'il venait d'éprouver avec Gwen tenait du miracle. Il ferma les yeux et pria pour qu'il puisse se reproduire.

— O.K., dit-il. Nous allons essayer.

Quelques jours plus tard, Gwen eut la désagréable impression qu'elle avait entrepris une tâche au-dessus de ses forces.

— J'aurais peut-être dû repousser cela à l'automne, dit-elle.

Matty reposa sa tasse de café.

— Sûrement pas ! répliqua-t-elle. Il faut battre le fer tant qu'il est chaud !

Gwen avait désespérément besoin du support moral de Matty. Dès que les jeunes époux étaient revenus de leur lune de miel, Travis avait invité sa mère à passer une semaine à Hawthorne House, avant que son travail au ranch ne l'absorbe trop. Et il avait réussi à la convaincre.

— C'est le moment ou jamais pour vous deux de tenter et de réussir cette expérience, poursuivit Matty. A propos d'expérience, ajouta-t-elle avec un large sourire, je peux dire qu'une lune de miel, à elle seule, compense tout ce que ces messieurs nous font subir !

— Je suis heureuse que vous ayez passé une semaine merveilleuse, dit Gwen.

Elle se réjouit de n'avoir pas appelé les jeunes époux lorsque Lizzie avait été malade. Ils auraient évidemment interrompu leur lune de miel. Et elle-même et Travis n'auraient pu se découvrir enfin tels qu'ils étaient…

— Sauf le jour où nous avons cherché un détective privé, « merveilleux » est un mot beaucoup trop faible, corrigea Matty.

— Vous l'avez bien mérité tous les deux, dit Gwen en buvant une gorgée de café. Vous travaillez si dur… Excuse-moi, ajouta-t-elle en se levant. Je vais refaire du café. Luann Evans ne devrait pas tarder.

— Mais il en reste, tu en as fait il n'y a pas dix minutes ! protesta Matty en poussant un soupir.

Gwen fit la sourde oreille.

— Tu sais, dit-elle en faisant moudre le café, je ne suis pas sûre que ce soit une bonne chose d'envoyer un détective à la recherche de

Jessica. Comme Travis est peut-être le père de Lizzie, j'aimerais autant ne pas la forcer à revenir ici. Je sais que c'est égoïste, mais…

— Si c'est le cas, alors, moi aussi je fais preuve d'égoïsme. N'oublie pas que c'est peut-être avec Sebastian qu'elle l'a conçue.

— Tu le crois vraiment ?

Gwen ne voyait vraiment pas Sebastian dans ce rôle.

— Je crois que ce n'est pas impossible, répondit Matty. Je me suis aperçue que quelques verres suffisaient à lui faire perdre la tête. A Denver, l'hôtel nous a offert une bouteille de champagne, que nous avons bue à deux, et Sebastian, est devenu, hum… vraiment…

Gwen se tourna en direction de son amie.

— Matty ! s'étonna-t-elle. Tu rougis !

Elle était ravie. Elle avait eu un peu peur que Sebastian ne soit trop réservé pour Matty.

— Tu vas tout me raconter, dis ? demanda-t-elle en mettant la cafetière électrique en route.

— Pas question ! protesta Matty en s'éventant de la main. Je voulais seulement t'expliquer pourquoi je pensais que Sebastian aussi pouvait être le père de Lizzie.

— Bonté divine ! s'exclama Gwen sans cesser de sourire. On a raison de dire qu'il n'est pire eau… Mais nous sommes bien avancées, à présent !

— Il nous faut absolument régler ce problème, dit Matty. On ne peut pas laisser ces deux gars se disputer le bébé pour l'éternité. Ce serait peut-être un sujet de série télévisée amusant, mais dans la vie réelle, ce serait intenable.

Matty but une gorgée de café, avant d'ajouter :

— A propos, comment vas-tu expliquer l'existence d'Elisabeth à la mère de Travis ?

Comme par enchantement, cette question fit disparaître le sourire des lèvres de Gwen.

— Travis et moi, nous y avons pensé, dit-elle. Nous avons décidé de ne pas lui mentir, car, si Travis est le père, Luann fera partie de la vie d'Elisabeth.

— Tu as raison, dit-elle. Il faut seulement espérer que Luann n'est pas trop à cheval sur les principes.

— Justement, Travis m'a laissé entendre qu'elle est *très* à cheval sur les principes...

Gwen sentit de nouveau son estomac se nouer. Elle observa un instant Lizzie qui suçait sa cuiller, puis se leva.

— Excuse-moi, dit-elle, mais je crois que j'ai oublié de passer le chiffon sur les appuis de fenêtre.

— Pour l'amour du ciel, Gwen, assieds-toi ! Tu ne veux tout de même pas avoir un chiffon dans la main lorsque ta future belle-mère te verra pour la première fois ? Elle te considérerait à jamais comme une bonniche ! Autant te mettre tout de suite en tablier, avec un petit bonnet !

Gwen soupira et se prit la tête entre les mains.

— Elle n'est peut-être pas aussi terrible que Travis l'a décrite, dit-elle. Mais je ne peux pas m'empêcher de m'imaginer une maîtresse femme d'un mètre quatre-vingts, autoritaire, jamais contente, antipathique...

— Elle fait un mètre quatre-vingts ?

— C'est-à-dire, Travis ne me l'a pas dit précisément, mais...

— Il y a quelqu'un ici ? appela soudain une voix grave, très masculine.

Gwen sentit son cœur s'emballer et sa bouche se dessécher. Elle étreignit sa tasse des deux mains et regarda Matty.

— Mon Dieu, les voilà ! murmura-t-elle.

— Tiens bon, chuchota Matty. Tu es la meilleure chose qui soit jamais arrivée à son fils, ne l'oublie pas !

Une voix de femme inconnue retentit depuis la véranda.

— Avec cette façade aux couleurs criardes, on croirait un bordel, mon fils !

Matty leva les sourcils.

— Ce n'est pas vrai, Gwen ! dit-elle dans un souffle.

— Moi, j'aime ça, dit Travis, dont la voix se rapprochait. C'est gai. Hé, Gwen, où êtes-vous ?

— J'arrive !

Elle se leva, un sourire timide aux lèvres, heureuse que Travis ait pris sa défense. Puis elle s'arrangea les cheveux et tira sur sa jupe.

— Ai-je l'air d'une propriétaire de maison close ? demanda-t-elle.

— Bien sûr que non !

— Alors, le sort en est jeté !

Le cœur battant, Gwen se dirigea vers le vestibule, et faillit se heurter à Travis.

— Holà ! fit-il en la prenant par les épaules.

Il l'observa un instant, d'un air approbateur.

— C'est bon de vous revoir, dit-il.

Mais, en présence de sa mère, il se garda bien d'embrasser la jeune femme. Au lieu de cela, il se retourna.

— M'man, je te présente Gwen Hawthorne. Gwen, voici ma mère, Luann Evans.

Malgré la fraîcheur du vestibule, Gwen sentit la sueur couler le long de sa colonne vertébrale. Elle s'appliqua à sourire et s'apprêta à faire face à une femme imposante dont la corpulence emplirait le hall d'entrée.

Mais Luann Evans était petite et menue. Sa valise tenait plus de place qu'elle. Gwen se mordit la lèvre pour ne pas rire. Ainsi, Travis faisait les quatre volontés d'un si petit bout de femme ! se dit-elle en s'avançant, la main tendue.

Luann avait les cheveux gris et coupés court. De toute évidence, elle ne cherchait nullement à dissimuler sa soixantaine d'années en se maquillant ou en teignant ses cheveux. Elle était vêtue d'un jean et d'un sweat-shirt, et ses yeux avaient les mêmes reflets roux et dorés que ceux de Travis.

— Madame Evans, je suis heureuse de vous connaître, dit Gwen.

La poignée de main de Luann était des plus ferme. D'une fermeté surprenante pour une si petite femme, pensa Gwen.

— Appelez-moi Luann.

— Très bien.

— Autant tirer les choses au clair tout de suite, poursuivit-elle en relâchant la main de son hôtesse. Couchez-vous avec mon fils ?

Gwen demeura un instant bouche bée. Elle vit Travis se précipiter vers l'entrée, l'abandonnant lâchement.

— Je vois monter ta valise dans ta chambre, m'man, dit-il. Ta salle de bains est juste à côté, et je suis certain que tu vas l'aimer. Le papier mural se gondole un peu, mais ce sera bien vite réparé. Gwen a les petits savons que tu aimes, ceux dont le dessin reste très net, même quand on les utilise…

— Pour le moment, je me fiche pas mal de la tapisserie et des petits savons, fiston, interrompit Luann sans quitter Gwen des yeux. Je veux seulement savoir si vous couchez ensemble ou non.

Gwen sentit ses joues devenir brûlantes. Elle attendit que Travis dise quelque chose, mais en vain. Apparemment, il n'avait pas informé sa mère de la nature de leur relation, se dit-elle. Mais elle ne pouvait guère l'en blâmer, car le but du jeu était de s'attirer les bonnes grâces de Luann, et, dans cette optique, il n'était peut-être pas nécessaire d'aborder les questions de sexualité en premier. Mais elle s'était promis d'adopter une attitude de totale franchise avec cette femme, et ce n'était pas le moment de trahir sa promesse, pensa-t-elle. Elle rassembla donc tout son courage et s'éclaircit la gorge.

— Oui, Luann, je couche avec votre fils, dit-elle.

Luann hocha la tête en signe d'assentiment.

Gwen se détendit. La dame acceptait la situation de bonne grâce, se dit-elle. Le premier obstacle était donc franchi.

— J'aimerais que vous cessiez, dit Luann.

— Quoi ?

Cette fois-ci, Travis fit écho à la réaction de Gwen :

— Ecoute, M'man, je ne pense pas que ce soit à toi de…

— Je suis invitée chez vous, Gwen, expliqua Luann en regardant son hôtesse. Vous avez une maison ancienne, et je ne veux pas entendre des gémissements et des grincements de sommier toute la nuit. C'est inconvenant pour une mère d'être le témoin de telles choses.

Luann a raison, pensa Gwen. La maison était mal insonorisée. En y réfléchissant, elle se souvint avoir entendu plus d'une fois des gémissements et des grincements en provenance de ses chambres d'hôte. Après tout, se dit-elle, certains couples venaient chez elle pour une escapade…

De toute façon, elle et Travis auraient été si intimidés qu'ils seraient peut-être restés célibataires toute la semaine, pensa-t-elle. Sauf, évidemment, chaque fois que Luann serait allée se promener…

— Heu, vous avez raison, Luann, répondit Gwen. Je suis certaine que Travis sera ravi de dormir dans la chambre voisine de la vôtre pendant votre séjour.

Travis n'avait *vraiment* pas l'air ravi. Gwen lui adressa un petit sourire entendu. Ils trouveraient bien un moyen d'inciter Luann à quitter la maison, ne serait-ce que pour quelques heures. Ils pourraient lui prêter un de leurs pick-ups pour lui permettre d'explorer la région. Ou suggérer à Matty de l'inviter à déjeuner. Mais, par la suite, si Luann acceptait de vivre ici, elle ferait insonoriser son appartement, se dit Gwen. Elle n'allait tout de même pas passer sa vie à chercher des ruses pour faire l'amour avec Travis…

Luann semblait aussi satisfaite que Travis mécontent.

— Je vous remercie d'accéder aux souhaits d'une vieille dame, dit-elle en hochant la tête d'un air régalien.

A cet instant, un éternuement retentit dans le couloir de la cuisine. Gwen se retourna, et vit Matty qui tenait Elisabeth dans ses bras. Elle avait complètement oublié que ces deux-là étaient restées dans la cuisine. Le visage de Luann s'éclaira.

— Quel charmant bébé ! Vous êtes la maman ? demanda-t-elle en regardant Matty.

— Heu… non.

Gwen intervint :

— Luann, je vous présente mon amie, Matty Lang. Matty, voici la mère de Travis.

— Enchantée, dit Matty d'un ton plutôt neutre.

Matty avait sans doute entendu comment Luann avait interdit à ses hôtes de faire l'amour pendant son séjour, ce qui expliquait sa froideur. Mais cette dernière ne voulait pas juger trop négativement la mère de Travis. Après tout, sa propre mère n'était pas non plus très chaleureuse, pensa-t-elle. Et elle était très rarement venue lui rendre visite, ces derniers temps.

Au moins, Luann aimait les bébés. Elle dévorait Elisabeth des yeux, comme si elle pouvait à peine se retenir de la toucher.

— Je peux demander à qui appartient cette adorable enfant ? dit-elle.

Gwen décida que c'était au tour de Travis de désamorcer la deuxième bombe. Elle lui lança un regard soutenu. Il ajusta son chapeau.

— En fait, M'man, dit-il, il y a de fortes chances pour que je sois le père de ce bébé.

14.

Jusque-là, Travis n'avait jamais beaucoup réfléchi aux notions de paradis et d'enfer. Mais à présent, il savait exactement ce que ces mots signifiaient. Le paradis, c'était le temps qu'il avait passé avec Gwen, après que Lizzie se fut remise de son refroidissement. Et l'enfer, c'était les quatre jours qu'il venait de passer chez Gwen, avec sa mère comme invitée.

Cette dernière le considérait comme une sorte de maniaque sexuel qui, après avoir mis une femme enceinte, ne pouvait s'empêcher de batifoler aussitôt avec une autre. Mais seulement en l'absence de sa mère. Or, celle-ci refusait de le perdre de vue… Elle lui trouvait sans cesse quelque chose à faire pour elle, comme l'accompagner dans les magasins, ou lui faire visiter la région. Elle refusait catégoriquement de prendre le volant et de partir seule.

Et Gwen ne cessait de l'encourager à se plier à tous les caprices de sa mère. Il fallait que Luann aime la région, disait-elle, et, plus Travis la lui ferait visiter, plus il y aurait de chances pour qu'elle accepte d'y demeurer. Elle avait peut-être raison, se disait Travis, mais il en doutait fort… Et il avait tellement envie de faire l'amour avec Gwen qu'il envisageait sérieusement de l'attirer un soir au fond de la cour, malgré le froid !

Il n'était même pas sûr que Gwen accepterait. Elle pensait qu'il ne fallait pas essayer de tromper Luann. Si cette dernière se sentait respectée et considérée, disait Gwen, elle finirait par se laisser amadouer.

— Mon œil ! répliquait invariablement Travis.

La seule bonne nouvelle, pensait Travis, c'était que Luann s'était entichée de Lizzie. Cela ne le surprenait pas, puisque tout le monde aimait cette petite. Mais il trouvait tout de même bizarre que sa mère lui reproche pendant des heures d'avoir fait un enfant à Jessica, tout en étant folle de joie chaque fois que Matty venait leur rendre visite avec le bébé. En tout cas, cela donnait énormément d'espoir à Gwen.

Elle semblait également beaucoup s'intéresser aux activités domestiques de Gwen. Aujourd'hui, cette dernière lui apprenait à tisser, ce qui avait permis à Travis d'aller aider Sebastian à vérifier une partie de la clôture, avant l'arrivée du bétail, la semaine suivante. Travis était heureux de se retrouver à cheval au côté de Sebastian.

— Je voudrais déjà voir Lizzie sur un cheval, dit ce dernier.

— Moi aussi. Dès qu'elle saura se tenir assise, je l'emmènerai faire le tour du corral.

Travis s'imagina en selle avec la petite, par une chaude journée d'été, sous les yeux pleins de fierté de Gwen. Il soupira. Décidément, il n'y avait qu'une seule ombre au tableau : sa mère.

— A ton air sombre, je peux deviner que tu penses encore à ta mère, dit Sebastian.

— Ouais.

— Gwen trouvera bien le moyen de l'amadouer. Il ne faut pas renoncer si vite.

— Je connais ma mère depuis bien plus longtemps que vous tous, répliqua Travis en secouant la tête. Jamais elle n'acceptera de jouer le second rôle !

— Je suis sûr que tu sous-estimes Gwen. Je…

Sebastian s'interrompit, car son portable sonnait.

— Ce truc m'a fait sursauter, dit Travis. Je crois toujours que c'est un serpent à sonnettes !

— Je sais, dit Sebastian, mais Matty doit avoir un moyen de me contacter. Surtout à cause du bébé. Et de Jessica.

Travis s'écarta, pour préserver l'intimité de la conversation. Probablement un petit dialogue entre amoureux, se dit-il.

Mais, presque aussitôt, Sebastian appela Travis.

— Que dirais-tu de passer un peu de bon temps avec Gwen ? demanda-t-il.

Travis arrêta net sa monture et se retourna.

— Tu as bien dit : « du *bon temps* » ?

— Exactement, cow-boy, répondit Sebastian avec un clin d'œil.

— Mais ce n'est pas possible ! Ma mère…

— Matty vous a pris en pitié, tous les deux, interrompit Sebastian en s'approchant de Travis. Elle a un plan. Veux-tu tenter l'aventure ?

— Et comment ! dit Travis en riant.

Sebastian porta de nouveau le téléphone à son oreille.

— C'est d'accord. Ouais. Je suis sûr qu'il t'en sera reconnaissant toute sa vie. Je t'aime aussi. Bye.

— Comment allons-nous nous y prendre ? demanda Travis, tandis que Sebastian rangeait son portable dans sa sacoche de selle.

— Elle appellera Gwen et lui dira qu'elle a absolument besoin de ses conseils pour des achats concernant le tissage. Et comme Lizzie n'est pas trop bien depuis quelque temps — elle va probablement bientôt percer sa première dent — elle demandera à Luann de la garder.

— Fantastique ! Et quand pourrons-nous mettre ce plan à exécution ? Je ne peux déjà plus attendre !

Toujours côte à côte, les deux hommes aiguillonnèrent leur monture et longèrent de nouveau la clôture.

— Matty a besoin d'une heure pour tout préparer, répondit Sebastian. Si quelque chose ne se passe pas comme prévu, elle nous appellera, mais ce serait étonnant. Visiblement, Luann meurt d'envie d'avoir la petite pour elle toute seule. Elle sera probablement si heureuse à cette idée qu'elle n'y entendra pas malice.

Mais Travis avait encore quelques doutes.

— Quand Matty va-t-elle mettre Gwen au courant de son plan ? demanda-t-il. Parce que Gwen ne cesse de dire qu'il faut jouer franc-jeu avec ma mère.

— Pour sûr, Matty ne lui en parlera que lorsque Luann sera déjà installée au ranch avec le bébé, et qu'elles seront déjà parties toutes les deux, soi-disant pour faire leurs achats. A ce moment-là, Matty dira à Gwen de filer chez elle où l'attend un cow-boy plein d'ardeur. Gwen protestera sans doute un peu, mais Matty pense qu'elle ne tardera pas à marcher dans la combine. Et maintenant, active-toi un peu. Ton idylle fiche le travail du ranch par terre.

Gwen trouva un peu bizarre que Matty ait soudain besoin de faire des achats pour son tissage, alors qu'elle ne lui en avait jamais parlé. Mais elle n'était pas du genre de refuser un service à une amie, d'autant que Luann était ravie de se voir confier la garde d'Elisabeth. Elle conduisit donc Luann au ranch, puis repartit avec Matty.

A quelques kilomètres de la rue commerçante d'Huerfano, Matty lui demanda de se garer sur le parking du garage de Jack Hennessy.

— Je vais voir si par hasard mon pick-up est déjà réparé, dit-elle. Tu peux rester dans la voiture, je n'en ai pas pour longtemps.

Lorsqu'elle revint, radieuse, elle se dirigea du côté du conducteur. Gwen descendit sa vitre.

— C'est un miracle, il est prêt ! dit Matty. Si tu as envie de rentrer à Hawthorne House, je peux l'utiliser pour faire mes courses.

Gwen la considéra d'un air irrité. Cela ne ressemblait pas du tout à Matty de lui faire perdre son temps, se dit-elle. Comme si sa vie n'était pas déjà assez compliquée, ces derniers temps !

— Et Luann ? demanda Gwen. Je devrais plutôt retourner au ranch pour m'occuper d'Elisabeth avec elle, maintenant.

— Je ne crois pas, répliqua Matty sans cesser de sourire. Je pense au contraire que tu devrais rentrer chez toi, pour être seule avec Travis.

— Tu sais très bien que Travis n'est pas là ! s'écria-t-elle, presque en colère à présent. Il vérifie les clôtures avec Sebastian !

Matty secoua lentement la tête.

— Il est à Hawthorne House, dit-elle. Et il t'attend.

Gwen ravala sa salive.

— Alors, tout ceci n'était qu'une mise en scène, n'est-ce pas ? demanda-t-elle.

— Puisque tu ne voulais pas battre Luann à son propre jeu, il fallait bien que quelqu'un s'en charge. Evidemment, tu n'es pas obligée de marcher dans la combine. Si tu as trop de scrupules, rien ne t'empêche de rejoindre Luann et Elisabeth. Mais si tu décides de coopérer, je pense que toi et Travis avez deux bonnes heures à tuer.

A ces mots, des ondes d'excitation parcoururent tout le corps de Gwen.

— Mais, dit-elle d'une voix tremblante, quand j'ai conduit Luann chez toi, j'ai vu le pick-up de Travis garé près de la grange.

— Et dans un peu plus de deux heures, il y sera encore, répliqua Matty en hochant la tête. Ne te fais pas de souci. Luann ne va pas abandonner la petite pour aller vérifier si le pick-up de Travis est toujours là !

Gwen retrouva un timide sourire.

— Je suppose que non, dit-elle.

— Alors, qu'est-ce que tu attends pour y aller ?

D'une main mal assurée, Gwen tourna la clé de contact.

— Matty, je me sens déjà coupable de duper la mère de Travis.

— Un peu de culpabilité ajoute du sel à l'aventure, tu ne crois pas ?

Gwen regarda son amie et se mit à rire.

— Je suppose que je vais me rendre compte par moi-même, dit-elle.

— Amuse-toi bien !

Gwen eut le plus grand mal à respecter les limitations de vitesse. Elle aussi avait souffert de cette période d'abstinence forcée. Elle dormait mal, et ses rêves étaient de plus en plus érotiques. Mais, grâce à Matty, Travis allait de nouveau la serrer dans ses bras… De nouveau, elle sentirait la douce voracité de sa bouche, la force impétueuse de son… Gwen écrasa la pédale de freins. Elle avait failli griller un stop.

Dès qu'elle aperçut le pick-up noir de Travis devant Hawthorne House, Gwen se mit de nouveau à trembler. Jamais elle ne s'était sentie autant à la merci d'un homme, et l'intensité de ses émotions l'effraya.

A l'instant même où elle gravissait la première marche du perron, la porte d'entrée s'ouvrit à la volée, et la haute silhouette de Travis se découpa dans l'embrasure de la porte. Ainsi, il la guettait, pensa-t-elle… Jamais il n'avait eu l'air aussi sexy.

— Femme, vous étiez attendue, dit-il d'une voix grave qui provenait du plus profond de lui-même.

Le cœur battant, Gwen traversa la véranda. Mais à peine était-elle entrée qu'il l'étreignait, tout en fermant la porte d'un coup de pied, et la plaquait contre le mur. Même dans ses rêves les plus fous, elle ne s'était jamais vue pressée contre cette tapisserie à fleurs et embrassée jusqu'à en perdre le souffle. Et, lorsque Travis voulut lui enlever son pantalon, elle comprit qu'il ne se contenterait pas de l'embrasser dans ce vestibule, presque contre la porte d'entrée…

Le désir la submergea. Tandis qu'elle lui desserrait la ceinture, elle sentit qu'il glissait la main dans sa culotte, et descendait sans hésiter jusqu'à la zone la plus intime de son corps, comme s'il savait qu'elle était déjà brûlante d'excitation. Elle s'agrippa au jean de Travis et gémit de plaisir.

Haletant, il s'écarta légèrement d'elle.

— Finissons-en, dit-il en pressant les doigts dans sa vallée chaude et humide. Le préservatif est dans la poche de ma chemise.

— Oh, *Travis* !

— J'ai cru que tu n'arriverais jamais ! dit-il, la tutoyant pour la première fois.

De nouveau, il écrasa sa bouche contre la sienne, la caressant d'une main tout en la débarrassant de son pantalon et de sa culotte de l'autre. Elle se cambra contre lui, non sans réussir en même temps à descendre la fermeture Eclair de son jean, qui tomba sur le parquet. Alors, elle lui ôta le slip, libérant ainsi son sexe en érection.

— Vite, marmonna-t-il, tout contre ses lèvres. Je t'en supplie, dépêche-toi !

Lorsque enfin il eut enfilé le préservatif, il s'écarta légèrement d'elle, le souffle brûlant.

— Agrippe-toi à mes épaules, dit-il, haletant.

La plaquant contre le mur, il la souleva et entra en elle en étouffant un cri de triomphe. Gwen accueillit toute la plénitude de sa force, et ses yeux s'emplirent de larmes de joie. Il lui avait tant manqué… Ils s'unirent avec tant d'ardeur qu'un tableau se décrocha et se brisa à terre. Ce qui ne fit pas ralentir Travis une fraction de seconde. Gwen lui fut reconnaissante de ne pas s'être laissé influencer par un événement aussi trivial…

Leur tension atteignit des sommets incroyablement exquis. Puis, alors que Travis venait de s'introduire de nouveau le plus loin possible en elle, elle se libéra. Il desserra légèrement son étreinte. Elle riait de joie, et des larmes coulaient sur ses joues. Avec un cri guttural, il la suivit, le corps pressé contre le sien et agité de soubresauts. Puis il posa le front contre le sien, ferma les yeux, et, petit à petit, sa respiration se calma. Mais, lorsqu'il plongea de nouveau son regard dans le sien, il la tenait toujours très fermement, et il était encore profondément en elle…

— Je t'aime, dit-il calmement.

De nouveau, les yeux de Gwen se brouillèrent de larmes.

— Tu ne me l'avais jamais dit, murmura-t-elle.

— Tu le savais bien !

— Oui. Mais je voulais tout de même l'entendre.

— Désolé d'avoir été si long, dit-il avec un sourire forcé. Mais moi aussi, j'aimerais l'entendre.

— Oh, Travis ! Bien sûr que je t'aime !

Elle l'avait si souvent pensé qu'elle était stupéfaite de ne jamais l'avoir dit tout haut.

— Pour sûr, cela fait du bien, dit-il, le regard en feu. Tu sais, Gwen, même si ma mère ne veut pas habiter ici, je veux que tu m'épouses !

La gorge serrée, elle comprit qu'il voulait se sacrifier pour elle, qu'il voulait supporter à jamais un sentiment de culpabilité — pour elle.

— Bien sûr, c'est mon plus cher désir, mais je ne peux pas te demander de revenir sur ta promesse, dit-elle d'une voix douce.

— Tu ne me l'as pas demandé. C'est ce que j'ai décidé de faire.

— Mais…

Il la fit taire d'un baiser… qui bientôt glissa jusqu'à ses seins.

— Ce n'est pas le moment d'en parler, murmura-t-il, tout contre elle. Nous avons encore beaucoup de rattrapage à faire.

— Mais je croyais… que nous venions justement de…

Il rit, puis promena la langue entre les seins de la jeune femme.

— Ma chérie, dit-il, ce n'était qu'un hors-d'œuvre. Maintenant, nous pouvons passer au plat de résistance.

Un instant auparavant, Gwen s'était sentie totalement aimée. Ce qui ne l'empêcha pas d'éprouver de nouveau la brûlure de la passion.

— Quelle chambre veux-tu essayer, à présent ?

— Je pensais au salon, répondit-il en l'aidant à retrouver le contact avec le sol. Ce petit sofa me paraît plein de possibilités intéressantes. Et puis, tu sais ? ajouta-t-il.

— Quoi ?

— Ce soir, je coucherai dans ta chambre.

Persuadée que Luann se laisserait convaincre plus facilement s'ils ne la défiaient pas en s'opposant à ses souhaits, Gwen fit l'impossible pour dissuader Travis de coucher dans sa chambre. En vain. Depuis qu'il lui avait fait l'amour, après quatre jours d'abstinence, le cow-boy ne voulait plus entendre parler de compromis. De plus, il ne chercha nullement à dissimuler à Luann qu'il couchait avec Gwen, et qu'il lui faisait l'amour tous les soirs, comme pour prouver qu'il pouvait vivre malgré la désapprobation de sa mère. Cependant, Gwen parvint à le convaincre de faire le moins de bruit possible pendant leurs rapports.

Luann ne manqua pas de relever le gant que son fils lui avait jeté. Pendant la dernière partie de son séjour, sa mâchoire sembla plus serrée et plus déterminée encore qu'à l'ordinaire. Et l'anxiété de Gwen ne fit que croître. Elle ne pouvait croire que Travis serait plus heureux s'il cessait de voir sa mère, et elle savait que cette dernière, pour sa part, ne pourrait être que très malheureuse, n'ayant apparemment que son fils dans sa vie.

Gwen redoubla donc de prévenances envers Luann, lui recommandant de se reposer au lieu d'aider à l'entretien de la maison, ce qu'elle avait fait jusque-là. Elle l'emmena déjeuner à Canon City, puis chez Matty, afin qu'elle puisse se distraire avec Elisabeth. Mais Luann ne s'adoucit pas pour autant. Quant à Travis, il était sans doute persuadé que Luann refuserait leur proposition de venir habiter à Hawthorne House, et il évita toute discussion avec Gwen au sujet de sa mère. Il avait décidé qu'il mettrait cartes sur table lors de leur dernier dîner ensemble, en annonçant à Luann son projet de mariage avec Gwen, et en lui demandant si elle voulait ou non venir habiter avec eux à Hawthorne House.

Gwen alluma les bougies et arrangea les fleurs qu'elle avait disposées au centre de la table. Elle savait que, pour ce dernier dîner avec Luann, le rôti de bœuf serait tendre à souhait, les légumes cuits à point, et l'accompagnement de la salade, original et plein d'invention. Et pourtant, son inquiétude était à son comble.

Travis et sa mère arrivèrent en même temps.

— Cela sent merveilleusement bon ! dit Travis avant d'attirer Gwen contre lui et de l'embrasser sur la bouche. J'avais hâte de te revoir, ajouta-t-il.

Gwen rougit et le regarda d'un air interrogateur. Il ne s'était jamais montré aussi affectueux à son égard en présence de sa mère.

— Moi aussi, j'avais hâte de te revoir, dit-elle.

— Ne vous gênez surtout pas pour moi ! dit Luann en s'asseyant. Je suis capable de me servir toute seule. A moins que vous n'ayez besoin de la table pour autre chose que pour manger. En ce cas, j'emmènerai mon assiette dans ma chambre. Pas de problème.

Gwen se dégagea des bras de Travis.

— Luann, dit-elle, nous ne voulions pas vous offenser. Nous…

— … nous aimons ! complèta Travis. Nous nous aimons, M'man, répéta-t-il, et nous allons nous marier. Très bientôt.

Luann le fixa, les yeux brillants.

— Je ne m'attendais pas à moins, dit-elle. Vous vous comportez comme un couple de lapins.

Gwen voulut protester, mais elle s'aperçut que, si les yeux de Luann brillaient, c'était parce qu'ils étaient recouverts d'un mince écran de larmes. Oh, mon Dieu ! En réalité, la mère de Travis était sur le point de pleurer.

— Nous vous invitons à venir vivre avec nous, dit vivement Gwen.

Luann se leva.

— Plutôt être pendue par les dents au pont de la Gorge Royale ! dit-elle avant de quitter la pièce.

Gwen voulut la rattraper, mais Travis la retint par le bras.

— Laisse-la partir, dit-il avec colère. Je *savais* qu'elle se comporterait de cette manière.

Gwen se retourna vers lui.
— Tu l'as mise dans cette disposition en m'embrassant ostensiblement devant elle ! s'emporta-t-elle.
— Je n'ai aucune raison de me cacher.
— Tu as raison pour plus tard, mais, dans l'immédiat, j'ai eu l'impression que tu la narguais. Et cela a bien marché. Je vais voir si je peux arranger les choses.
— Je t'interdis d'aller la supplier ! s'écria-t-il en lui serrant le bras encore plus fort.
— Pourquoi ne pas la supplier de changer d'avis ? riposta-t-elle. Qu'avons-nous à perdre ?
— Notre fierté ! répliqua-t-il, les yeux luisant de colère. De toute façon, je peux te garantir que cela n'aura aucun effet ! Si elle ne peut m'avoir pour elle toute seule, elle préférera ne pas m'avoir du tout. Je savais qu'elle réagirait exactement de cette manière. Eh bien, je ne veux plus rien avoir à faire avec elle ! Elle a régenté ma vie assez longtemps !
L'intensité de sa colère stupéfia Gwen.
— Je ne vois pas le mal qu'il y aurait à essayer de la raisonner. Elle a peut-être seulement besoin d'un peu de temps pour s'accoutumer à notre proposition. Je crois que nous devrions laisser la porte ouverte, pour qu'elle...
— Mais ne comprends-tu pas ? C'est la *première fois* de ma vie que je lui demande de faire quelque chose pour moi. La *première fois*. Et elle ne veut même pas en entendre parler. Quelle sorte de mère est-ce là ?
Les choses commencèrent à se clarifier dans l'esprit de Gwen. Grâce à Elisabeth, pensa-t-elle, Travis s'était récemment rendu compte que l'état de parent impliquait des sacrifices. Et il commençait à comprendre que sa mère n'avait jamais rien sacrifié pour lui. Parfois, il avait pu croire que, si elle était si possessive, c'était parce qu'elle l'aimait trop. A présent, il pensait qu'elle ne l'aimait peut-être pas du tout.
Pour sa part, Gwen ne pouvait le croire. Elle avait remarqué l'expression du visage de Luann chaque fois que Travis entrait dans la pièce où elle se trouvait.

— Laisse-moi lui parler, Travis, dit-elle. Je crois que nous ne nous rendons pas compte à quel point cela doit être dur pour elle, mais je…

— N'essaye même pas de la persuader de vivre avec nous. Pas après la réaction qu'elle vient d'avoir. Je ne veux pas d'elle ici.

— Tu ne penses pas ce que tu dis, protesta Gwen.

— Mais si, je le pense ! Je pense exactement ce que je viens de dire ! Et j'en ai par-dessus la tête de cette discussion. Je vais faire un tour en voiture pour me calmer les nerfs.

Quelques instants plus tard, Gwen entendit démarrer le pick-up de Travis. Elle regarda les bougies à la lumière vacillante, puis le vase de fleurs qu'elle avait posé au milieu de la table, tandis que des larmes commençaient à brouiller le décor qu'elle avait mis tant de soin et d'amour à composer.

15.

Lorsque Travis se gara devant l'habitation en rondins du ranch, la colère qu'il éprouvait contre sa mère ne s'était guère calmée.

Jusque-là, il croyait normal d'organiser toute sa vie en fonction d'elle, parce que son père l'avait éduqué ainsi. Mais il avait vu Matty et Sebastian réorganiser leur vie en fonction de Lizzie. Lui-même n'avait pas hésité à en faire autant. Et il n'avait pas besoin de demander à Gwen si elle était prête, elle aussi, à se dévouer pour Lizzie ou pour ses futurs enfants. Tous les parents faisaient cela naturellement. Sa mère n'avait pas le droit de contrôler sa vie comme elle l'avait fait jusque-là, pensa-t-il. Il pourrait très bien continuer à honorer sa promesse, mais selon ses propres conditions : si elle ne voulait pas vivre à Hawthorne House, il engagerait quelqu'un pour l'aider pendant l'hiver. Elle n'apprécierait pas cela du tout, songea-t-il, mais il ne s'en souciait plus. Cela faisait assez longtemps qu'elle n'en faisait qu'à sa tête…

Lorsque Sebastian lui ouvrit la porte, il avait encore la bouche pleine.

— Hé, Travis ! Tu as semé ta tribu ?

— Elles sont restées à la maison. Désolé d'interrompre ton dîner.

— Pas de problème.

Sebastian avait l'air dévoré de curiosité, mais il ne posa pas d'autre question.

— Nous venons de recevoir un appel téléphonique qui t'aurait intéressé, dit-il. Mais entre donc.

Travis ôta son chapeau, traversa le confortable salon rustique, et se dirigea vers la salle à manger. Matty essayait de manger tout en donnant le biberon à Lizzie.

— Bonjour, Travis, dit-elle. Quelle coïncidence ! Nous parlions justement de toi.

Travis s'assit près d'elle et accrocha son chapeau au dos de sa chaise.

— Pourrais-je lui donner le biberon pendant que tu finis de dîner ? demanda-t-il.

— Volontiers, répondit Matty.

Elle déposa le bébé sur les genoux de Travis.

— Oups ! Cette enfant est de plus en plus lourde, dit-elle.

Travis se sentit heureux de tenir de nouveau la petite dans ses bras.

— Elle grandit, c'est normal, dit-il. N'oublie pas qu'elle va bientôt percer sa première dent. Pas vrai, princesse ?

Bavant abondamment, la princesse brandit le poing dans sa direction.

— Je sais, je sais, dit-il en lui tendant le biberon, tu veux finir ton repas avant de commencer la conversation.

— Tu as mangé ? demanda Matty. Je peux te préparer une assiette.

Travis pensa avec nostalgie au merveilleux dîner que Gwen avait passé la journée à préparer avec amour. Il était gâché par sa faute, se dit-il... Mais il ne manquerait pas de se racheter auprès d'elle, se promit-il.

— Ce n'est pas la peine, je n'ai pas faim, répondit-il. Mais je ne refuserais pas une tasse de café.

— Veux-tu savoir qui a appelé ? demanda Matty en versant le café dans une tasse.

— Evidemment, répondit ce dernier.

— Boone.

— Vraiment ?

Boone Conner était un sacré chic type, se dit Travis, toujours heureux de voir revenir le maréchal-ferrant au Rocking D., à l'approche de l'été.

— Il va venir bientôt, n'est-ce pas ? Il faut qu'il ferre nos chevaux avant…

— Ce n'est pas à propos des chevaux qu'il a appelé, dit Matty en jetant un coup d'œil au bébé sur les genoux de Travis.

Instinctivement, ce dernier serra Lizzie plus fort. Sebastian avait dit que l'appel était en rapport avec Jesssica, se souvint-il. Et Boone aussi était avec eux, cette fameuse nuit à Aspen…

— Ne me dis pas qu'il a reçu une lettre de Jessica, lui aussi !

— Si.

— Ce n'est pas possible ! s'exclama Travis, l'estomac noué. Si tard !

Sebastian s'assit en face de Travis.

— Comme il ne cesse de voyager avec son atelier ambulant de maréchal-ferrant, la lettre vient seulement de le rattraper, dit-il. Mais il est déjà en route pour Huerfano.

— Tu ne vas tout de même pas me dire qu'il se croit le père de Lizzie ! s'écria Travis, proche de la panique. A moins qu'il ne s'agisse d'Immaculée Conception. Je suis sûr que Boone est encore vierge !

— Il vaudrait mieux ne pas dire cela devant lui. Tu te souviens comment il s'était soûlé lorsqu'il a appris que sa petite amie de toujours se mariait ?

— Ouais, et je crois qu'il l'a perdue parce qu'il avait toujours un métro de retard. Il a sa photo dans le dictionnaire, à côté du mot *timide.*

— Hé, protesta Sebastian, moi aussi, je suis timide avec les femmes.

Travis en secouant la tête.

— Toi, tu n'es pas timide, répliqua-t-il. Tu ne sais pas t'y prendre, c'est différent.

— Très différent, en effet, dit Matty en riant. Vous n'allez pas le croire, ajouta-t-elle, mais Boone est absolument sûr d'avoir couché avec Jessica, d'abord parce que l'alcool lui fait faire des choses qui ne lui ressemblent pas du tout, et ensuite parce qu'il était prêt à tout pour essayer d'oublier sa petite amie.

— Ce ne sont que des foutaises ! dit Travis avec force, ce qui fit sursauter Lizzie. Oh ! Désolé, chérie, ajouta-t-il en la berçant. Papa ne voulait pas te faire peur.

— Ce n'est pas un mot à employer à la légère, protesta Sebastian d'une voix légèrement crispée.

— Pourquoi pas, s'il convient ? demanda Travis avec désinvolture.

Sebastian lui lança un regard menaçant.

— Justement, dit-il d'une voix rauque, ce mot me convient comme un gant ! Je…

— Du calme ! s'écria Matty en levant les bras. Je ne vais pas rester une seconde de plus dans cette pièce, si vous continuez cette stupide dispute ! Qu'est-ce que cela va être quand Boone sera là ! Je serai obligée de me réfugier chez Gwen. Au fait, ajouta-t-elle en se tournant vers Travis, où se trouvent Gwen et Luann ? Je croyais que c'était la dernière soirée que ta mère passait ici.

— Ouais, répondit Travis, les yeux obstinément fixés sur Elisabeth.

— Et tu n'es pas avec elles. Je flaire un problème.

— Pas du tout.

Travis reposa le biberon sur la table et cala le bébé sur son épaule.

— Attention à ta chemise, Travis, dit vivement Matty. Lizzie bave comme dix mille escargots depuis quelque temps. Sebastian, ajouta-t-elle en regardant ce dernier avec insistance, pourrais-tu prendre Elisabeth ? Je crois qu'il faut la changer.

— Travis aimerait peut-être le faire lui-même, répliqua Sebastian. Il n'a presque jamais l'occas…

— Sebastian !

— … D'un autre côté, je serais très heureux de le faire. Viens, ma petite fille, ajouta-t-il en la prenant des bras de Travis. On va retrouver Bruce.

Dès qu'il fut parti, Matty s'approcha de Travis.

— Que s'est-il passé ? demanda-t-elle.

— Gwen a demandé à ma mère de s'installer définitivement à Hawthorne House, et elle a répondu qu'elle préférerait se pendre plutôt que d'accepter.

Les yeux bleus de Matty s'emplirent de sympathie.

— Oh, Travis ! As-tu essayé de lui en parler ?

— Non. Et surtout, ne me dis pas que c'est ce que j'aurais dû faire ! Je fais ses quatre volontés depuis bien trop longtemps ! Si elle n'accepte pas de se sacrifier un tout petit peu pour moi, je ne veux plus en entendre parler !

— Et comment Gwen le prend-elle ? demanda Matty après un long silence.

— Elle est bouleversée, bien sûr, répondit-il en soupirant. Elle voulait essayer de convaincre ma mère de changer d'avis, mais moi, je ne veux pas qu'elle accepte à contre-cœur. Elle finirait par me le faire payer cher. C'est ce que Gwen ne comprend pas.

— Tu t'es disputé avec Gwen ?

— Plus ou moins, dit-il en détournant les yeux. Mais elle sait que je n'en veux qu'à ma mère, j'en suis sûr.

Matty lui pressa la main, puis se leva.

— Je vais voir Gwen, dit-elle.

— Tu n'imagines pas que tu as une chance de lui faire changer d'avis, j'espère ? De toute façon, je ne veux pas que tu essayes. Pas plus toi que Gwen.

— Rassure-toi, je n'en ai pas l'intention, dit Matty en lui posant la main sur l'épaule. Je pense seulement que Gwen a besoin d'une amie en ce moment.

— Elle avait préparé un merveilleux dîner, dit Travis. Et nous n'y avons pas touché.

Parce qu'il avait défié sa mère en embrassant Gwen devant elle, songea-t-il avec amertume. Mais, en fin de compte, cela n'aurait rien changé. Sa mère était d'une jalousie maladive, et, surtout, elle ne voulait pour rien au monde déranger sa petite vie tranquille.

— Dis à Sebastian que je serai de retour dans deux heures environ, dit Matty. Et essayez de ne pas en venir aux mains à propos de Lizzie !

Gwen avait eu juste le temps de mettre le dîner dans des récipients, et ces derniers dans le réfrigérateur, lorsqu'elle entendit sonner à sa porte.

— Tu as fini ton dessert ? demanda Matty dès que Gwen lui ouvrit.

— Mon Dieu, Matty, Travis vous a mis au courant, je parie ?

— Oui.

Gwen serra son amie dans ses bras.

— Merci mille fois d'être venue, dit-elle. Je n'ai jamais été aussi heureuse de recevoir une visite !

Matty se mit à rire et ôta son manteau.

— Cela m'étonnerait ! répliqua-t-elle. Je parie que tu étais bien plus heureuse de voir Travis il y a quelques jours…

Gwen se sentit rougir en se souvenant avec précision de ce qui s'était alors passé avec lui dans le vestibule, exactement là où elle et Matty se trouvaient à l'instant.

— C'est une sorte différente de bonheur, dit-elle, les joues en feu.

— J'espère bien, fit remarquer Matty avec un petit rire. Alors, quel dessert as-tu préparé ? demanda-t-elle en se dirigeant vers la cuisine.

— Ce merveilleux gâteau au chocolat dont tu m'avais donné la recette.

— Hmm ! Il ne doit plus en rester une miette !

— Mais tu sais bien que nous n'avons pas dîné.

— A ta place, répliqua Matty en se mettant à table, je l'aurais sûrement déjà fini !

— Tu es gentille, dit Gwen en souriant à son amie. Je me sens déjà cent fois mieux.

— Ce n'est rien. Tu m'as déjà rendu ce genre de service plusieurs fois. Alors, où se trouve Luann ?

— Dans sa chambre, à l'étage, répondit-elle avec une grimace. Et cela m'étonnerait qu'elle en sorte avant son départ demain matin.

— Hum, je vais voir ce que nous pouvons faire. Mais quand te décideras-tu à me donner une part de ce gâteau ?

— Oh ! Excuse-moi !

Gwen se précipita vers le comptoir et souleva le couvercle du plat.

— Doux Jésus ! Un tel chef-d'œuvre redonnerait la vue à un aveugle ! s'exclama Matty avec vénération. L'homme que tu épouseras aura tiré le gros lot.

— Tu sais, répliqua Gwen en coupant une énorme part, cela ne va pas marcher, mon mariage avec Travis, s'il rompt avec sa mère. Il croit pouvoir continuer à vivre comme avant, tout en ayant coupé les ponts avec elle. Mais moi, je sais que ce n'est pas possible, ajouta-t-elle en servant Matty. Et Travis ne veut pas que je tente de convaincre Luann. De toute façon, comme elle part demain, il y a peu de chances pour qu'elle change d'avis, même si je réussissais à lui parler à l'insu de son fils…

Matty la considéra d'un air surpris.

— Où est ton morceau de gâteau ? demanda-t-elle.

— Je n'ai pas faim.

— Pour cette *merveille* ? s'écria Matty. Personne ne peut manquer d'appétit devant *ça* ! Sers-toi, c'est la meilleure thérapie possible. Et prépare-nous une bonne dose de café, nous allons en avoir besoin pour notre brainstorming.

Gwen soupira et brancha la machine à café, sans grande conviction, avant de se servir une part de gâteau. Matty décida qu'il était temps de proposer des solutions concrètes.

— Nous pourrions monter avec le gâteau, dit-elle, et en offrir à Luann, à condition bien sûr qu'en échange, elle accepte de vivre ici.

Gwen ne put se retenir de rire.

— Ton idée est meilleure que toutes celles que j'ai eues jusque-là ! dit-elle.

— Je te jure que cela marcherait ! insista Matty, la bouche pleine. En tout cas, cela marcherait avec moi. Je nettoierais la grange avec une brosse à dents pour un seul morceau de cette merveille ! Quand j'en fais, ajouta-t-elle, il n'est même pas à moitié aussi bon. Tu es une cuisinière hors pair.

Gwen y goûta à son tour. Effectivement, se dit-elle, il n'était pas mauvais. Il était même plutôt bon. Elle prit une deuxième bouchée.

— Tu pourrais sûrement faire régner la paix dans le monde avec ce chef-d'œuvre ! s'extasia de nouveau Matty. Tu es vraiment douée…

Soudain, Matty s'interrompit, et sa cuiller s'immobilisa à mi-chemin.

— Peut-être même trop douée, ajouta-t-elle.

— Trop douée ?

— Exactement ! répondit Matty. Pas étonnant que Luann ne se sente pas à l'aise ! Dis-moi, s'attendait-elle vraiment à ce que tu sois aux petits soins pour elle à ce point ?

— Je ne crois pas. Au début, elle insistait pour m'aider de temps en temps. Mais, lorsque Travis a de nouveau couché dans ma chambre, je me suis sentie coupable, et je me suis efforcée de lui rendre le séjour encore plus agréable.

— C'est-à-dire qu'à partir de ce moment-là, tu as tout fait dans la maison.

— En effet, répondit Gwen en déposant une tasse et une soucoupe devant son amie. Puis elle versa la crème dans un petit vase décoré de fleurs, qu'elle posa également sur la table.

— Tu as vu cela ? demanda Matty en désignant le récipient.

— Il est joli, n'est-ce pas ? Je l'ai trouvé chez un antiquaire de Colorado Springs, et…

— Je ne parle pas du vase, ma chérie, mais du fait que tu t'es crue obligée de verser la crème dedans au lieu de mettre le pack directement sur la table, comme je l'aurais fait à ta place ! Ton perfectionnisme est adorable, sauf pour ta future belle-mère, qui se sent soudain totalement surclassée.

Gwen regarda son amie avec de grands yeux.

— Surclassée ? s'écria-t-elle. Par moi ? Mais c'est absurde !

— Crois-tu ? Lorsqu'elle est arrivée ici, tout était propre comme un sou neuf. Ensuite, tu t'es arrangée pour que cela reste ainsi toute la semaine. Et je suis certaine que tu ne lui as servi que des repas merveilleux, et que tu as changé les bouquets de fleurs tous les jours !

Gwen ne répondit pas tout de suite. Elle demeura quelque temps bouche bée, les yeux toujours fixés sur son amie.

— Bien sûr ! dit-elle enfin. C'était mon hôte, et, de plus, un hôte très important. Je voulais traiter Luann de manière exceptionnelle, pour qu'elle se sente aussi heureuse que possible. Je voulais qu'elle me trouve digne de son fils !

— Oh, elle le sait bien, que tu en es digne ! répliqua Matty. L'ennui, c'est qu'elle s'est sentie mise à l'écart. Je parie que la seule fois où elle s'est réellement jugée utile, c'est lorsque nous lui avons fait garder Elisabeth. Elle avait l'air heureuse, ce jour-là. Elle en a même profité pour nettoyer ma cuisine. Alors que, chez toi, elle se croit inutile.

— Mais elle ne serait pas inutile si elle vivait ici ! riposta Gwen, presque en criant. Je serais d'accord pour qu'elle m'aide à m'occuper de mes hôtes, et de mes enfants, quand nous en aurons, et…

— Mais Luann, elle, ne serait pas d'accord, car elle pense que tu fais tout mieux qu'elle. Maintenant qu'elle a vu comment tu tenais parfaitement cette maison, elle pensera toujours que, de toute façon, tu t'en tireras mieux toute seule. De plus, elle ne supportera pas de se sentir inférieure en présence de son fils.

Gwen se prit la tête entre les mains.

— J'ai voulu que tout soit parfait, et, à cause de cela, j'ai tout gâché ! gémit-elle. Et maintenant, Travis et sa mère s'affrontent, et ils sont tous deux incroyablement têtus…

— Selon moi, dit Matty, tous les hommes sont têtus. Par conséquent, Luann doit avoir davantage de testostérones que la plupart d'entre nous !

— Evidemment, nous, nous ne sommes jamais têtues, dit Gwen en souriant faiblement.

— Jamais.

— Mais, Matty, que vais-je faire ? Je ne vois vraiment aucun moyen de m'en sortir… Luann part dans moins de douze heures !

— Je ne vois aucun moyen non plus, dit Matty.

— Alors, il n'y a plus d'espoir !

— Si. En temps normal, je n'approuverais pas une telle manœuvre, mais il s'agit d'un cas extrêmement urgent.

— Je suis prête à tout ! s'exclama Gwen, une inflexion d'espoir dans la voix.

— Tu es bien sûre ? Parce que j'ai l'impression que cela sera très dur pour toi.

Gwen n'hésita pas.

— Je suis prête à faire n'importe quoi, dit-elle. Et même si cela ne marche pas, je te serai éternellement reconnaissante de m'avoir proposé quelque chose !

— Oublie ta gratitude éternelle, et redonne-moi donc une part de gâteau.

16.

Une heure plus tard, Gwen était au lit et attendait Travis sous une montagne de couvertures. Il arriva à l'heure prévue et se hâta vers la chambre.

— Gwen ? appela-t-il en entrant. Ma chérie, que se passe-t-il ? Matty m'a dit que tu ne te sentais pas bien.

— Je me sens très mal, répondit-elle. Glacée jusqu'aux os, nausées, mal aux articulations.

Il s'accroupit à son chevet et posa le dos de la main contre sa joue.

— Tu es brûlante. Ce doit être la grippe. J'appelle le Dr Harrison.

— Inutile. Il n'y a rien à faire contre la grippe, si ce n'est se reposer et boire beaucoup.

— Et si c'était autre chose que la grippe ? Quelque chose de plus grave ? s'inquiéta-t-il.

Gwen se sentit coupable de faire subir une telle épreuve à Travis. Matty avait bien eu raison de lui dire que ce ne serait pas facile.

— Je n'ai rien de grave, j'en suis certaine, dit-elle. Mais ne t'approche pas trop, d'accord ? Je ne veux pas que tu attrapes mes microbes. Demain, tu reconduis ta mère dans l'Utah.

— Cela m'étonnerait. Je la mettrai dans un bus. Je ne veux pas te quitter si tu es malade. Et ce ne sont pas tes microbes qui vont m'empêcher de prendre soin de toi. As-tu besoin de quelque chose ? Un jus de fruits ? Une friction dans le dos ?

— Oh, Travis, tu es si gentil, dit-elle en lui adressant un faible sourire. Mais je peux me soigner seule. Ce sont mes hôtes, Bill et Charlene Ingram, qui m'inquiètent. Ils arrivent après-demain.

— Je vais leur demander de reporter leur séjour. Ainsi, nous serons seuls dans la maison.

— Tu ne peux plus les joindre, répliqua-t-elle. Ils sont déjà sur les routes, et ils ne savent pas encore où ils passeront la nuit.

— S'ils ont tellement le goût de l'improvisation, dit Travis, ils pourront toujours trouver un autre endroit où passer le week-end.

— Oh, Travis, nous ne pouvons leur demander cela. C'est leur premier anniversaire de mariage. Et ils ont passé leur lune de miel ici. J'ai gardé un petit morceau de leur gâteau de noces au congélateur.

Travis la contempla d'un air désolé.

— Ecoute, chérie, dit-il enfin, je suis prêt à faire tout ce que je peux, mais tu sais que je cuisine plutôt mal. Quant aux bouquets de fleurs et l'entretien de la maison, je crois que je serais complètement incapable de m'en occuper. Je vais téléphoner un peu partout pour leur trouver un autre établissement qui pourra les accueillir.

— Si seulement je pouvais avoir une autre solution ! murmura Gwen.

Elle réfléchit un instant, puis ajouta :

— Travis, je crois qu'il y a une possibilité. Mon Dieu, faites qu'elle accepte de m'aider !

— Qui cela ? Matty ?

— Non, pas Matty. Tu sais bien qu'elle et Sebastian vont acheter du bétail ce week-end. Et ils emmènent la petite.

— C'est vrai, j'avais oublié. Alors, à qui pensais-tu ?

— Ta mère.

— Ma mère ? Il n'y a pas de problème, ça va marcher ! dit-il avec un gros rire un peu forcé. Sauf qu'elle ne pense qu'à une seule chose : partir d'ici !

— Tu as peut-être raison, dit Gwen en soupirant. Mais si elle acceptait seulement de rester quelques jours de plus, cela arrangerait tout. Tu pourrais prendre soin de moi, et elle s'occuperait de la maison.

— Tu lui confierais ton *bed and breakfast* ?

— Bien sûr que oui ! dit-elle, se demandant s'il pouvait se douter du mal qu'elle avait eu à dire cela.

— Effectivement, dit Travis d'un air pensif, cela résoudrait tous les problèmes. Et, quand tu iras mieux, je pourrai la reconduire chez elle en voiture. Elle a beau me mettre hors de moi, cela m'ennuyait tout de même de lui faire prendre le bus. Elle n'a pas l'habitude de voyager seule.

— Tu serais mort d'inquiétude pour elle, dit Gwen en lui prenant la main. Fais-lui donc cette proposition. Si elle refuse, nous trouverons bien autre chose.

— Si elle refuse, riposta Travis, je pourrais bien la mettre tout de même dans le bus !

Luann accepta la proposition de Travis, et Gwen passa les deux jours suivants au lit. Elle s'ennuya à mourir. Pire, ne pouvant quitter la chambre, elle ne put s'empêcher d'épier les moindres bruits. Elle entendait Luann passer l'aspirateur ou encaustiquer les parquets, et, lorsqu'elle faisait la cuisine, elle le savait aussitôt. Elle imaginait alors Luann s'affairant devant le four, ou essuyant la fragile vaisselle de porcelaine... Le plus dur à accepter pour elle, c'était que la mère de Travis semblait s'en tirer très bien. « C'est vrai, je ne suis pas indispensable », pensa Gwen.

Travis veilla sur elle du mieux qu'il put, mais, lorsqu'il travaillait au ranch, cette tâche revenait à Luann. Le premier jour, cette dernière lui apporta son bol de soupe sans mot dire. Mais, le deuxième, elle fut assez détendue pour demander à Gwen si elle se sentait mieux.

— Je me sens encore très faible, répondit-elle.

Matty lui avait conseillé de rester au moins trois ou quatre jours au lit.

— Vous n'avez aucun souci à vous faire, dit Luann. Tout se passe à merveille, ajouta-t-elle, non sans fierté.

Gwen mourait d'envie de lui demander s'il restait assez de provisions dans le réfrigérateur, et si elle avait pensé à changer les fleurs de la chambre d'hôte. Mais elle s'en garda bien. Matty lui avait demandé expressément de ne jamais laisser croire à Luann qu'on ne lui faisait pas confiance.

— J'en suis très heureuse, dit-elle. Travis m'aurait volontiers aidé, mais il n'est pas très doué pour ces sortes de tâches.

Le visage de Luann s'éclaira d'un sourire furtif.

— C'est vrai, dit-elle. Ce garçon serait capable de prendre des fleurs séchées pour des pommes chips.

Mais Gwen avait un autre sujet d'inquiétude.

— Heu... Luann, je dois peut-être vous prévenir que le couple qui arrive cet après-midi n'est marié que depuis un an. Je ne peux pas vous garantir qu'ils ne vont pas faire un peu de...

— Je mettrai mes boules Quiès, interrompit Luann. Bon, maintenant, je vous laisse vous reposer. J'ai des beignets à la banane à faire.

L'odeur des beignets ne tarda pas à mettre Gwen au supplice. Elle mourait littéralement de faim, n'ayant eu droit jusque-là qu'à quelques bols de bouillon. Dès que la sonnerie du minuteur retentit, elle entendit Luann sortir les beignets pour les laisser refroidir. Seigneur ! Comme ils sentaient bon !

Finalement, Gwen ne put y tenir. D'une voix maladive — du moins l'espérait-elle — elle appela Luann.

— Quelque chose ne va pas ?

— Non, c'est seulement que... ces beignets sentent tellement bon. Mon appétit a l'air de revenir un peu. Pourrais-je en avoir un ?

L'expression qui se peignit sur le visage de Luann récompensa Gwen de chacune des interminables minutes qu'elle avait passées à se languir dans son lit. La mère de Travis rayonnait de bonheur, révélant la mère aimante que Gwen espérait découvrir un jour en elle.

— Vous voulez une tasse de thé à la cannelle ? demanda Luann.

Jamais Gwen ne lui avait entendu une voix aussi douce...

— Ce serait vraiment parfait !

— Je reviens tout de suite, dit Luann en quittant la chambre d'un pas vif et léger.

Gwen ferma les yeux, pleine de gratitude.

— Merci, Matty, murmura-t-elle.

Gwen ne quitta pas son appartement avant dimanche, laissant les Ingram aux mains de Travis et de Luann. A en juger par les rires et les exclamations joyeuses, les choses se passaient au mieux. Samedi matin, avant de partir au ranch, Travis apporta à Gwen un bouquet de fleurs dans un vase.

— De la part de Bill et Charlene, dit-il en le déposant près du lit. Ils te souhaitent un prompt rétablissement.

— Comme c'est gentil de leur part ! dit-elle. Tout va bien, on dirait !

— Ouais, répondit Travis en se grattant la tête, comme s'il était surpris. Je n'aurais jamais cru que cela puisse se passer ainsi. Pour un peu, je croirais que m'man est heureuse de pouvoir te remplacer !

Au lieu de crier sa joie, comme elle en mourait d'envie, Gwen parvint à répliquer le plus calmement du monde :

— Je sais, elle est vaillante à la tâche, et elle m'a sauvé la mise, c'est sûr.

Travis lui écarta doucement les cheveux du visage.

— Tu te sens mieux ? demanda-t-il.

— Oui.

Tu ne peux pas savoir.

— Mais je sens qu'il ne faut pas que je force. Demain, peut-être, après le départ des Ingram, j'essayerai de quitter le lit quelque temps.

Travis la considéra avec tendresse.

— Tu sais, dit-il, tu es toujours tellement à la hauteur de tes tâches... Dans un sens, cela m'a fait du bien de sentir que tu pouvais avoir besoin de moi, quelquefois... Non que je souhaite te voir de nouveau tomber malade ! s'empressa-t-il d'ajouter.

— Ne me dis pas que tu me croyais invulnérable ! s'écria Gwen, stupéfaite, en se retenant de justesse d'ajouter : *toi aussi...*

— J'ai bien peur que si, dit-il. Je savais que j'avais besoin de toi, mais je n'étais pas sûr que la réciproque fût vraie. Je veux dire, sauf quand nous faisions l'amour, ajouta-t-il avec un sourire entendu.

Le cœur de Gwen s'enfla d'amour pour lui. Elle lui prit la main et la pressa contre sa joue.

— Oh, Travis, dit-elle, le sexe n'est pas tout pour moi ! J'ai aussi besoin que nous parlions ensemble, que tu travailles à mes côtés, et surtout que tu ries avec moi... Je croyais que tu le savais.

— J'en étais presque sûr. Mais maintenant, je n'en doute plus, dit-il tendrement.

— Je t'aime, Travis.

— Moi aussi, je t'aime, murmura-t-il.

Il se releva et l'embrassa sur le front.

— Il faut que tu te reposes, dit-il. Je veux que tu te rétablisses vite. Et j'aime autant te prévenir que mes intentions ne sont pas entièrement pures.

— Tu voudrais d'autres rouleaux à la cannelle ?

— Tu sais que je les adore, répondit-il en riant. Mais, sur la liste des choses dont je meurs d'envie, ils n'arrivent qu'en seconde position, ajouta-t-il en lui adressant un clin d'œil.

Lorsqu'il quitta la chambre, il laissa Gwen aux prises avec la frustration sexuelle la plus extrême. Comment avait-elle pu feindre l'indifférence pendant si longtemps ? Lorsqu'il l'avait aidée à se doucher, Travis avait dû combattre son excitation avec une incroyable bravoure, et elle-même s'était sentie coupable d'imposture...

Pourtant, il semblait bien que Travis ait tiré de sa maladie feinte autant de bénéfice psychologique que Luann. Gwen elle-même admettait à présent, bien qu'avec réticence, que tout irait encore mieux si deux femmes tenaient son *bed and breakfast.* Tout de même, renoncer à tout contrôler chez elle était une des choses les plus difficiles qu'elle ait jamais réalisées. Mais elle espérait bien que Luann ferait de même de son côté.

Ce samedi soir, Travis dut travailler plus longtemps que prévu, à cause d'une fuite dans les canalisations du ranch, et les Ingram allèrent dîner en ville. Aussi Luann décida-t-elle de venir dîner dans la chambre de Gwen, au grand bonheur de cette dernière.

La mère de Travis se révéla d'une conversation facile, passant du jardinage aux recettes de cuisine, sans oublier son programme de nettoyage. Luann avait changé d'une façon incroyable, pensa Gwen. Elle appréciait beaucoup ce genre de conversation, qu'elle n'avait jamais pu avoir avec sa mère. Ce fut seulement lorsque Travis revint à la maison, épuisé et affamé, que Luann quitta Gwen pour aller réchauffer son dîner.

Gwen espérait qu'il viendrait dîner dans sa chambre, lui aussi, mais elle entendit deux chaises bouger dans la cuisine : il allait donc dîner en compagnie de sa mère... Gwen ressentit un bref pincement de jalousie, qu'elle surmonta bien vite. Après tout, se dit-elle, elle avait tout fait pour que la mère et le fils se réconcilient, et elle était à présent payée de ses efforts. Mais comme elle aurait aimé entendre ce qu'ils se disaient ! Elle ne parvenait pas à saisir une seule de leurs paroles, et ne pouvait prendre le risque de se poster dans le couloir, au cas où Travis lui rendrait soudain visite dans sa chambre. En soupirant, elle se blottit sous ses couvertures. Il ne lui restait plus qu'à faire confiance à Travis, comme elle avait appris à avoir confiance en Luann, se dit-elle. Encore une leçon à apprendre..., pensa-t-elle avant de sombrer dans le sommeil.

Elle se réveilla à moitié lorsque Travis se glissa sous les draps à côté d'elle, et elle tendit les lèvres pour lui souhaiter une bonne nuit. Mais il l'embrassa avec tant d'ardeur qu'elle ouvrit tout grands les yeux.

— Tout va bien, Travis ?

— Elle demande à rester, répondit-il d'une voix riche et profonde.

Gwen sentit tout le corps de Travis vibrer au son de sa propre voix. Elle poussa un cri de triomphe. Jamais elle n'aurait osé rêver que Luann se souviendrait elle-même de sa proposition.

— Hé, dit Travis en riant, ne t'excite pas comme ça ! Tu pourrais faire une rechute !

Gwen se souvint juste à temps de la comédie qu'elle devait jouer, et se mit à tousser.

— Tu vois ? dit Travis en lui frottant le dos. Tu veux un verre d'eau ?

— Non, merci, répondit-elle en sentant tout son corps s'échauffer. Oh, Travis ! C'est merveilleux ! Je suis si contente qu'elle veuille rester !

— Moi aussi, dit-il en lui frottant le dos de plus belle. Ce n'est pas très gentil de te dire cela, mais je pense que c'est parce que tu es tombée malade.

— Vraiment ?

— Ouais. C'est seulement à ce moment-là qu'elle s'est rendu compte du travail qu'exigeait cette maison, m'a-t-elle dit. Elle a compris que tu aurais réellement besoin d'elle si tu voulais, en plus, élever des enfants.

— Elle a tout à fait raison !

Gwen se blottit contre lui, heureuse de sentir ce corps d'athlète pressé contre le sien. Depuis qu'elle se disait malade, il gardait un T-shirt et son slip pour dormir, et Gwen brûlait de les lui ôter. Mais elle sentit qu'il posait la joue sur ses cheveux, presque fraternellement.

— Et maintenant, elle va pouvoir nous aider à préparer notre mariage, poursuivit-elle, imaginant le plaisir qu'elles prendraient toutes deux à en faire un événement inoubliable.

— Oh, elle s'en réjouit déjà ! assura Travis. Mais je lui ai dit qu'il faudrait faire vite. Je ne vous donne que quinze jours !

— Quinze jours ! s'exclama Gwen, stupéfaite.

— A vous deux, vous aurez largement le temps ! Sauf si tu as du mal à te remettre de ta grippe.

— Cela ne posera aucun problème, répliqua-t-elle en se frottant contre lui. Je me sens déjà presque en grande forme !

— Mais pas complètement…

— Je crois que je le suis bien assez, dit-elle en glissant la main sous son T-shirt.

— Je n'en suis pas sûr, Gwen, protesta-t-il.

— Moi, si. Et je parie que tu en as envie, toi aussi.

— Heu… C'est possible, dit-il, la respiration déjà oppressée. Nous pouvons peut-être essayer, si tu restes sagement allongée sur le dos, et si je fais très attention…

A la seule idée de faire l'amour, quelle que soit la position, Gwen sentit son cœur bondir dans sa poitrine.

— Je crois bien que nous pouvons nous y risquer, dit-elle.

— O.K., répondit-il d'une voix rauque.

Il l'allongea lentement sur le dos, et glissa la main sous le fin tissu de sa robe de chambre.

— Après avoir été si longtemps malade, dit-il, tu seras peut-être un peu lente à…

Il sursauta lorsqu'il entra en contact avec sa chaleur humide.

— Finalement, peut-être pas, ajouta-t-il, en poursuivant ses caresses sous la robe de chambre. Mais je ne vais peut-être pas t'enlever ça, tu risquerais de prendre froid…

— Mais si, tu peux l'enlever ! Je la remettrai après.

— Tu es sûre que…

— Si je la garde, j'aurai trop chaud.

— Oh ! Je n'avais pas pensé à cela !

Avec mille précautions, il lui ôta son léger vêtement.

— Comment te sens-tu, à présent ?

— En pleine forme ! Et tes sous-vêtements ?

Elle se saisit de son slip par l'élastique, mais il l'empêcha de le tirer vers le bas.

— Je m'en charge, dit-il. Tout ce que tu as à faire, c'est rester sur le dos et prendre le plus de plaisir possible.

— Oui, mon commandant !
— Tu trembles. Tu as froid ?
— Non ! Enfin, oui. Mais si tu me couvres de ton corps, je me réchaufferai vite.
— C'est dans mes cordes. Juste le temps de prendre un préserv…
— Je ne crois pas que nous en ayons besoin.
Travis se figea.
— Ah bon ?
— Tu as bien dit deux semaines ?
— Au plus.
— Alors pourquoi nous embêter avec ce truc ridicule ?
Travis frissonna.
— Couvre-toi les yeux, dit-il. Je mets la lumière.
— O.K. Pourquoi ?
Sans cesser de plonger son regard dans le sien, il s'allongea sur elle.
— Parce que je veux pouvoir te regarder dans les yeux en te mettant enceinte de notre bébé, répondit-il.
Le désir la submergea. En gémissant, elle le saisit par les hanches et l'attira à elle. Mais il résista.
— Non, dit-il. Je veux y aller doucement.
— Ce n'est pas la peine, protesta-t-elle d'une voix rauque. Je me sens vraiment très bien.
— Je sais. Mais je veux garder toute ma vie le souvenir de cet instant.
Là-dessus, il entra doucement en elle, très lentement, les yeux embrasés de mille feux. Aucun doute, se dit-elle, une fois de plus il lui adressait *Le Regard*.
— Je veux te garder pour l'éternité, murmura-t-il.
Avec joie, Gwen recueillit sa promesse en son cœur. Il y aurait bientôt la cérémonie du mariage, pensa-t-elle, avec un pasteur et tous les gens qu'ils aimaient, et ce serait merveilleux et important. Mais ce ne serait qu'une formalité.

C'était ce soir qu'ils échangeraient leurs vœux, se dit-elle.

— Pour l'Eternité, murmura-t-elle en lui prenant la tête dans les mains.

Recherche Jake désespérément, de Darlene Gardner – n°5

Depuis le début de cette fichue enquête, où Sam tente désespérément de retrouver son frère Jake, tout va de travers. Et à ce stade de l'affaire, un certain nombre de questions restent en suspend :

- Que manigance Mallory, qui prétend être la fiancée de Jake ?

- Qui est Lenora, sœur de Mallory qui prétend être elle-aussi la fiancée de Jake ?

- Où diable est passé Jake ?

- Et de quel droit lui, Sam Creighton, est-il tombé amoureux de la fiancée de son frère ?

Chère lectrice,

Vous nous êtes fidèle depuis longtemps?
Vous venez de faire notre connaissance?

C'est pour votre plaisir que nous avons imaginé un rendez-vous chaque mois avec vos auteurs préférés, vos AUTEURS VEDETTE *dans les collections Azur et Horizon.*

Les AUTEURS VEDETTE *vous donneront rendez-vous pour de nouveaux livres vedette.*

Pour les reconnaître, cherchez l'étoile... Elle vous guidera!

Éditions Harlequin

LE FORUM DES LECTEURS ET LECTRICES

CHERS(ES) LECTEURS ET LECTRICES,

VOUS NOUS ETES FIDÈLES DEPUIS LONGTEMPS?

VOUS VENEZ DE FAIRE NOTRE CONNAISSANCE?

SI VOUS AVEZ DES COMMENTAIRES, DES CRITIQUES À FORMULER, DES SUGGESTIONS À OFFRIR, N'HÉSITEZ PAS… ÉCRIVEZ-NOUS À:

LES ENTERPRISES HARLEQUIN LTÉE.
498 RUE ODILE
FABREVILLE, LAVAL, QUÉBEC.
H7R 5X1

C'EST AVEC VOS PRÉCIEUX COMMENTAIRES QUE NOUS ALLONS POUVOIR MIEUX VOUS SERVIR.

DE PLUS, SI VOUS DÉSIREZ RECEVOIR UNE OU PLUSIEURS DE VOS SÉRIES HARLEQUIN PRÉFÉRÉE(S) À VOTRE DOMICILE, NE TARDEZ PAS À CONTACTER LE SERVICE D'ABONNEMENT; EN APPELANT AU (514) 875-4444 (RÉGION DE MONTRÉAL) OU 1-800-667-4444 (EXTÉRIEUR DE MONTRÉAL) OU TÉLÉCOPIEUR (514) 523-4444 OU COURRIER ELECTRONIQUE: AQCOURRIER@ABONNEMENT.QC.CA OU EN ÉCRIVANT À:

ABONNEMENT QUÉBEC
525 RUE LOUIS-PASTEUR
BOUCHERVILLE, QUÉBEC
J4B 8E7

MERCI, À L'AVANCE, DE VOTRE COOPÉRATION.

BONNE LECTURE.

HARLEQUIN.

VOTRE PASSEPORT POUR LE MONDE DE L'AMOUR.

L'ASTROLOGIE EN DIRECT
TOUT AU LONG
DE L'ANNÉE.

(France métropolitaine uniquement)

Par téléphone 08.36.68.41.01

0,34 € la minute (Serveur SCESI).

Composé et édité
PAR LES ÉDITIONS HARLEQUIN
Achevé d'imprimer en octobre 2002

BUSSIÈRE
GROUPE CPI

à Saint-Amand-Montrond (Cher)
Dépôt légal : novembre 2002
N° d'imprimeur : 25074 — N° d'éditeur : 9561

Imprimé en France